THE

X FI

THE X FILES

THE X FILES

THE X FILES

THE X FILES

ES T

E

C

TH

THE X FILE

THE X FILES

КЕВИН АНДЕРСОН

РУИНЫ

ИЗДАТЕЛЬСТВО АСТ • МОСКВА • 1999

ББК 84 (7США)
А65

Kevin J. Anderson

RUINS

1996

Перевод с английского И.А. Ивановой

Серийное оформление А.А. Кудрявцева

*В оформлении обложки использованы работы,
предоставленные фирмой Fotobank*

Андерсон К.

Е82   Руины: Роман / Пер. с англ. И.А. Ивановой. – М.:
ООО «Фирма «Издательство АСТ», 1999. – 400 с.

ISBN 5-237-01353-8

Более двух лет будоражат умы поклонников фантастики, мистики и триллера неповторимые "Секретные материалы". С замиранием сердца ожидаем мы – удастся ли агентам ФБР Фоксу Малдеру и Дане Скалли распутать очередной клубок загадочных событий?

Много зловещих тайн хранят руины древних городов майя. В одном из них, Кситаклане, бесследно исчезла целая экспедиция археологов. В то же время неподалеку от Кситаклана взлетает на воздух поместье местного наркодельца. Расследование этих странных, вроде бы не связанных между собой событий поручается Малдеру и Скалли. Что же за мрачные легенды, внезапно ожив, вторгаются в реальный мир?

*Посвящается
Кристоферу Шеллингу, издателю нескольких
моих книг, которому удается сохранять хлад-
нокровие и чувство юмора, даже когда он
имеет дело с автором!*

От автора

Эта книга не была бы написана без самоотверженной помощи моих друзей, работающих над серией «Икс-Файлз» на телестудии «Фокс»: Криса Картера, Мэри Астадурион, Фрэнка Спотница, Дженифер Себри, Дебби Лутцки и Синди Ирвина, а также великолепных редакторов издательства «Харпер Призм» — Джона Сильберсэка и Кэйтлин Дейнард Блэсделл.

Лил Митчелл перепечатала надиктованный мною текст в рекордно короткий срок.

Кристин Руш и Дэн Весли Смит предоставили мне свой дом во время одного из самых ужасных ураганов, которые случаются раз в десять лет, благодаря чему я смог вовремя закончить повесть, с электричеством или без оного!

Паула Витарис помогала своим блестящим знанием испанского языка, хотя, кажется, мне удалось-таки наделать ошибок.

Дебби Грэмлиш и Крис Фуско снабжали меня необходимыми первоисточниками.

И наконец, моя жена Ребекка Моэста беззаветно дарила мне свою любовь и поддержку до последнего дня работы.

1

Развалины Кситаклана[*].
Юкатан, Мексика.
Пятница, 17.45

Далеко на западной окраине полуострова Юкатан, где известняковое плато смыкается с вулканическим нагорьем и влажными джунглями, природа более тысячи лет прятала от людей погибший город, скрывающий тайну происхождения цивилизации народа майя[**].

Кассандра Рубикон и ее археологическая партия уже много дней самозабвенно трудились на раскопках города, который туземцы-рабочие называли Кситакланом.

Кассандра, словно леденец, перекатывала во рту это экзотическое название, наслаждаясь об-

---

[*] Кситаклан — легендарный город древних майя на полуострове Юкатан на территории современной Мексики. — *Здесь и далее примеч. перев.*

[**] Майя — индейский народ в Мексике (полуостров Юкатан) и Белизе; создатель одной из древнейших цивилизаций Америки, существовавшей на территории юго-восточной Мексики, Гондураса и Гватемалы.

разами, которые оно навевало: древний жрец в
великолепном золотисто-зеленом уборе из перьев птицы кецаль совершает старинный обряд
жертвоприношения.

К-с-и-т-а-к-л-а-н!

День клонился к закату, а она все еще продолжала работу в недрах пирамиды Кукулькана*.

При свете фонаря она сосредоточенно ковы-
рялась в земле. Казалось, даже воздух, насыщенный известняковой горечью, таил в себе аромат
тайны, которую ей предстояло раскрыть.

Запыленной рукой Кассандра убрала со лба
влажные от пота волосы. Ее отец любил подчер-
кивать, что они цвета корицы, но не того блед-
ного красновато-рыжего порошка, который
продается в бакалейных лавках, а свежей корич-
ной коры, только что снятой с дерева.

Остальные участники экспедиции, коллеги
Кассандры по Калифорнийскому университету,
в это время наверху составляли карту общего
плана города с центральной церемониальной
площадью, храмами, стелами — монолитными
обелисками из известняка с высеченными на
них устрашающими мифическими пернатыми
змеями. Им удалось обнаружить поле для игры
в мяч, сплошь заросшее ползучими растениями,
где древние майя устраивали кровавые спортив-
ные игры. Проигравшие, а по версии иных ис-
ториков — победители, приносились в жертву
богам.

---

* Кукулькан — бог мудрости в мифологии майя.

Кситаклан представлял собою богатейшую сокровищницу археологических ценностей. Большая, щедро финансируемая экспедиция и за год вряд ли смогла бы обследовать сколько-нибудь значительную их часть. Но Кассандра и четверо ее молодых друзей были ограничены скудным университетским бюджетом и стремились сделать как можно больше, пока средства не иссякли.

Многочисленные замшелые стелы возвышались над джунглями, отмечая важные астрономические точки. Некоторые были повалены, но и на них отчетливо просматривались поражающие воображение каменные иероглифы. Специалист по эпиграфике Кристофер Порт тщательно перерисовывал загадочные письмена в записную книжку, с которой никогда не расставался, и с воодушевлением пытался их расшифровать.

Но главной достопримечательностью Кситаклана была, конечно, величественная ступенчатая пирамида Кукулькана, грозно возвышавшаяся над центром города. Покрытая сверху донизу травами, мхами, ползучими растениями и кустарниками, она тем не менее прекрасно сохранилась. Своей архитектурой пирамида напоминала замечательные зиккураты' в Чичен-Ице, Тикале и Теотихуакане'', но она единст-

---

* Зиккурат — культовая башня из кирпича-сырца в архитектуре древней Месопотамии, имела от трех до семи ярусов, соединявшихся лестницами и пандусами.
** Чичен-Ица, Тикаль, Теотихуакан — наиболее крупные города майя, появившиеся в I тысячелетии н.э., развалины которых сохранились.

венная из всех осталась неповрежденной. Наводящие ужас туземные суеверия до сих пор защищали ее от любопытных глаз.

На верхней площадке пирамиды высился многоколонный храм Пернатого Змея, украшенный восхитительным резным орнаментом, изображающим календарные символы, сцены из мифов и истории майя. Кассандра сама придумала это название, когда заметила часто повторяющийся в рельефах мотив, изображающий бога Кукулькана и его сподвижника или стража — пернатое пресмыкающееся; в мифах народа майя они служили олицетворением власти. Сложные сюжеты рельефов придавали новое очарование легендам индейских племен Центральной Америки о Кецалькоатле-Кукулькане*.

Коллеги Кассандры обнаружили за пирамидой невероятно глубокий колодец — природную скважину в известняке, заполненную темной маслянистой водой. В ее мрачных глубинах, по предположению Кассандры, могло скрываться множество изготовленных индейцами предметов, различные реликвии и, возможно, даже скелеты принесенных здесь в жертву людей. Подобные известняковые скважины — сеноты — находили повсюду на Юкатане в городах майя, но этот, в Кситаклане, еще ни разу не подвергался нашествию охотников за сокровищами и не исследовался археологами. Ребята

---

* Кецалькоатль — ацтекское имя бога Кукулькана.

могли быстро подготовить водолазное снаряжение, и тогда она сама погрузилась бы в манящую глубину, но сначала следовало закончить отчеты о первом этапе экспедиции. Да, много захватывающих открытий, много работы, но мало времени и очень мало денег.

Кассандра, забыв обо всем, увлеченно занималась исследованием внутренних помещений пирамиды.

Если ее группе не удастся за время этой поездки сделать основные открытия, то можно не сомневаться: конкуренты из Археологического общества не замедлят нагрянуть сюда по их следам. Но они-то организуют крупную, прекрасно оснащенную и финансируемую экспедицию. В результате значение их, первых, исследований останется в тени.

Местные рабочие, нанятые проводником группы, именующим себя искателем приключений и экспедитором Фернандо Викторио Агиларом, работали уже много дней, срывая покровы времени и природы с руин Кситаклана. Они врубались в дикие заросли плотного кустарника и расчищали в нем тропинки, растаскивали рухнувшие стволы сейбы и красного дерева, подсекали мачете гигантский папоротник и обрезали спутанные канаты лиан. Однако при виде изображений Пернатого Змея люди в ужасе отступали, боязливо перешептывались и отказывались подойти к внушающему им трепет месту, чтобы расчистить развалины, хотя Кассандра и предложила увеличить их мизерную плату. В конце концов все рабочие разбежались. Затем исчез и Агилар, покинув группу в чаще джунглей.

Кассандра привыкла уважать народные обычаи и верования — этого требовала специфика ее работы, но возбуждение от замечательных находок было так велико, что на сей раз она сочла подобные суеверия мешающими делу и ее терпение лопнуло. Археологи решили продолжать раскопки без посторонней помощи. Запасов продовольствия хватило бы на несколько недель, а передатчик позволял в случае необходимости обратиться за помощью. Поэтому Кассандра и четверо ее коллег наслаждались уединением.

Келли Роуэн, второй археолог ее группы (и мужчина, с которым она с недавних пор делила палатку), проводил последние часы уходящего дня на ступенях пирамиды, изучая иероглифы майя. Кристофер Порт устроился неподалеку со своим неизменным блокнотом, увлеченно пытаясь разгадать высеченные письмена, а Келли кисточкой и узкой заостренной палочкой осторожно счищал с иероглифов пыль и наслоения веков.

Фотограф и летописец группы Кейт Баррон спешила при свете дня поработать над одной из своих акварелей. Прекрасный специалист, очень спокойная и уравновешенная, она не ограничивалась лишь исполнением служебных обязанностей. Кейт много фотографировала для архива, вела журнал событий и находок, делая все быстро и профессионально. Но закончив работу, она бралась за кисти и краски, пытаясь с их помощью передать очарование окружающего пейзажа.

У исследователей Юкатана издавна повелось запечатлевать детали увиденного. При этом они всегда стремились отобразить несколько больше и глубже того, что могла обыкновенная двухмерная плоскость фотографии. Кейт уже заполнила три папки прелестными акварелями, воссоздающими историю народа майя. Это были парные изображения руин: какими они предстали перед археологами и как, по представлению Кейт, выглядели в свой золотой век.

Группа археологов продолжала сосредоточенную работу, а погружающиеся в темноту джунгли стали тем временем оглашаться все более громкими и разнообразными звуками. Наступающая ночь гнала дневных животных искать надежного убежища, а хищники, наоборот, проснулись и готовились к охоте. Мелкие насекомые, досаждавшие своими укусами в дневную жару, исчезли, уступив место москитам, особенно кровожадным в часы ночной прохлады.

Но время словно остановилось во влажных сумрачных пространствах пирамиды Кукулькана. Кассандра продолжала работать.

После того как они с Келли с большим трудом открыли разбухшие от постоянной влажности двери, слегка повредив каменную кладку и резьбу, Кассандра целые дни проводила в пирамиде, осторожно пробираясь все дальше, прокладывая путь в лабиринте ходов. Она работала не покладая рук, исследуя ниши и тупики, составляла карту запутанных переходов и коридоров в необъятном каменном сооружении, стремясь не исказить многочисленные изгибы лабиринта.

Кассандра провела в пирамиде весь вечер, выбравшись оттуда совсем ненадолго, чтобы взглянуть, как идут дела у Келли и Кристофера и как Джон Форбин, аспирант, архитектор и инженер, изучает другие полуразрушенные строения. Именно Джон определил местонахождение руин на потрепанной топографической карте, которую постоянно держал при себе, и поэтому оказался вместе с ними в глухих джунглях. Будучи инженером, Джон не интересовался названиями открытых ими зданий, а пользовался обычными цифровыми обозначениями — храм XI или стела 17.

Кассандра бросила взгляд на часы-компас и поспешила вновь спуститься в лабиринт, разгоняя мрак светом мощного фонаря. Холодный луч осветил грубо отесанные известняковые стены и шершавые балки. Всякий раз, когда она поднимала фонарь, перед ней в сумасшедшей пляске начинали метаться искривленные молчаливые тени. Что-то темное с шумом скользнуло в широкую трещину в стене. Она осторожно продвигалась вперед, вдыхая затхлый воздух.

В руке Кассандра сжимала миниатюрный диктофон и лист бумаги, на котором отмечала свой путь. Большинство обследованных туннелей оказались тупиками. Они должны были запутывать непрошеных гостей, хотя вполне могли оказаться замурованными сокровищницами. И что еще заманчивее с точки зрения археолога, — за глухими стенами в конце коридоров могли скрываться могильные склепы или хранилища древних рукописей.

Если бы им удалось найти кодекс народа майя, одну из великолепно иллюстрированных книг, написанных на бумаге, изготовленной из шелковичной древесины, это бы многократно увеличило знания человечества о древней империи в Центральной Америке. В мире существуют всего четыре кодекса времен цивилизации майя. Все остальные были уничтожены испанскими миссионерами, сверхфанатичными в безумном стремлении стереть из памяти людей все религии, кроме своей. Но ведь Кситаклан был покинут и забыт задолго до появления конкистадоров в Новом Свете.

Несмотря на страшную усталость, Кассандра снова принялась за работу. Пыль лезла в глаза, затрудняла дыхание. Одеревеневшие, сбитые в кровь руки и ноги ныли: слишком много ночей она спала на неудобном ложе. Кожа воспалилась от бесчисленных укусов насекомых. Как давно ей не доводилось попить холодной свежей воды и принять теплый душ! Но сделанные открытия стоили этих жертв. Археология — занятие не для слабаков, подумала она.

Отец считал ее красавицей и упрекал за то, что она напрасно тратит свою молодость на постижение ушедших в далекое прошлое древних цивилизаций, но она только смеялась в ответ. Ведь они были так похожи. Именно отец в первый раз привез маленькую Кассандру на археологические раскопки. Владимир Рубикон считался одним из крупнейших специалистов в области туземных доколумбовых цивилизаций, особенно по когда-то цветущей цивилизации анасази, хотя начинал карьеру с изучения народа майя.

Кассандра хотела быть не только последователем своего знаменитого отца, а стремилась к самостоятельным открытиям. Сначала она увлекалась геологией, изучала состав почв в джунглях Центральной Америки. Но в ходе исследовательской работы вдруг поняла, что знает о древних майя не меньше Келли, считавшего себя непревзойденным экспертом по археологии в их группе. Они объединили усилия и убедили правление Калифорнийского университета в Сан-Диего финансировать маленькую экспедицию в Мексику. В группу приглашались студенты, желающие использовать материалы раскопок для будущего диплома или публикации статей о новых открытиях и выразившие согласие получать более чем мизерную стипендию. Скудные размеры субсидий были вечной проблемой академических исследований.

По счастливой случайности их экспедиция неожиданно получила поддержку от частного фонда мексиканского штата Кинтана-Роо, который финансировал работы по исследованию руин Кситаклана. Благодаря этим средствам удалось приобрести водолазное снаряжение, нанять рабочих-индейцев и платить Фернандо Викторио Агилару за помощь, которую он якобы оказывал... Кассандра усмехнулась про себя...

Итак, экспедиция все же достигла определенных успехов, и, возможно, их имена будут вписаны в историю.

Кассандра продолжала углубляться в лабиринты храма, сообщая в миниатюрный микрофон о своем маршруте. Она касалась рукой шершавых каменных стен, и ее голос, то возбужденный, то замирающий от восхищения, наговаривал на пленку все, что она видела. Оригинальное решение древних зодчих — сооружение храма в пирамиде — напомнило ей о русской кукле-матрешке и вызвало новый взрыв восхищения.

Свет фонаря упал на левую по ходу стену, и Кассандра вдруг заметила, что та сложена из камней другого цвета. Она поняла, что обнаружила внутренний храм, и радостно вскрикнула. Вероятно, на фундаменте этого более раннего сооружения позже поднялась пирамида Кукулькана. Древние майя часто строили более высокие и величественные храмы на развалинах прежних, так как, по их поверьям, с течением времени в определенных точках концентрировалась магическая сила. Грандиозное святилище в Кситаклане было связующим звеном в цепи местных ритуалов. Много веков назад отдаленный религиозный центр в глухих джунглях стал местом притяжения для майя. Но это продолжалось лишь до тех пор, пока народ внезапно, по таинственным причинам, не покинул город. И вот спустя века она нашла его в безмолвном запустении, но не разрушенным временем и людьми, и открыла его тайны.

Кассандра поднесла микрофон к губам, стараясь диктовать по возможности бесстрастно:

— Здесь блоки из более мягкого камня, тщательнее обтесанные. Поверхность блоков гладкая и блестящая, словно остекленевшая под воздействием высокой температуры.

С улыбкой она поймала себя на том, что исследует камни с геологической точки зрения, а не как археолог.

Она погладила оплавленную поверхность и ровным голосом продолжала:

— Разумеется, я ожидала увидеть фрагменты фресок, которыми майя обычно украшали свои храмы, но здесь не видно никаких следов краски, нет даже резьбы. Стены совершенно гладкие.

Кассандра обошла помещение кругом, ощущая плотность застоявшегося воздуха: за прошедшие столетия ничто ни разу не всколыхнуло его. Она чихнула, и эхо многократно усилило звук, словно в катакомбах что-то взорвалось. Струйки песка с тихим шорохом посыпались из трещин между плитами потолка, но Кассандра надеялась, что древние балки устоят.

— Это действительно остатки первого храма, — диктовала она, — который когда-то был сердцем Кситаклана, первым сооружением в этом месте.

Возбужденная предчувствием нового открытия, Кассандра продвигалась по переходам, касаясь холодной гладкой каменной поверхности. Она старалась не отклоняться от обнаруженной древней стены, раздумывая над тем, какие секреты могут скрываться в самом сердце пирамиды.

Кассандра начинала понимать, что Кситаклан не случайно занимал столь значительное место в культуре майя. Рассказы о легендарном городе так глубоко запечатлелись в сознании народа, что местные жители до сих пор поговаривали о проклятиях и духах, якобы обитающих в этим местах. До нее также доходили слухи о том, что здесь бесследно исчезло немало людей, но Кассандра считала эти разговоры частью местных преданий.

Что же побудило древних майя разместить культовое сооружение огромной религиозной важности здесь, в отдаленном и глухом уголке джунглей, где поблизости нет ни дорог, ни рек, ни золотоносных или меднорудных гор?

С потолка с грохотом неожиданно рухнул крупный обломок каменной кладки, преградив ей путь. Кассандра почувствовала резкий скачок адреналина в крови. Сейчас, почти достигнув центра пирамиды, она сможет узнать, что же там скрывается. Не исключено, что она уже стоит на пороге большого открытия, но оно возможно лишь в том случае, если пройти весь путь до конца.

Кассандра спрятала диктофон в карман, засунула лист бумаги с начерченным на нем маршрутом за пазуху, пристроила фонарь поудобнее и принялась вручную разбирать завал. В азарте она не обращала внимания на клубившуюся вокруг пыль и грязь. Наконец ей удалось расчистить проход, достаточный, чтобы в него пробраться. Она подлезла к щели и направила туда свет фонаря, затем попыталась заглянуть дальше и протиснулась немного по проходу, чувствуя, что пол понижается. Фонарь высветил гулкое подземелье, по размерам превосходящее все другие помещения пирамиды. Там, несомненно, могли поместиться десятки людей. В глубине виднелось отверстие бокового хода, спиралью спускавшегося еще ниже. Она осветила стены громадного зала и от неожиданности чуть не выронила фонарь. Никогда прежде ей не приходилось видеть ничего подобного.

Яркий свет фонаря отразился от стен, сделанных из блестящих металлических пластин, изогнутых перекладин и прозрачных панелей. После того как она отвела луч света в сторону, стены некоторое время еще продолжали сиять таинственным светом, затем постепенно померкли.

Познания Кассандры в области древней истории и культуры не допускали и тени возможности увидеть здесь эти странные материалы. Майя не было свойственно широкое применение металлов, они обходились кремнем и обсидианом*. Но она не ошибается, она действительно видит гладкий блестящий металл, словно выплавленный на современном заводе. В то же время это необычный сплав, но не использовали же древние индейцы золото и бронзу! Пораженная, она замерла, лежа почти ничком в щели, едва ли шире барсучьей норы. Затем вытащила диктофон, устроилась поудобнее, одной рукой придерживая фонарь, и нажала кнопку записи.

— Это поразительно, — произнесла она и замолчала, подыскивая слова. — Я вижу металл, по структуре напоминающий серебро, но не такой темный, каким бывает серебро потускневшее. Он отсвечивает белым, словно алюминий или платина. Но этого не может быть, потому что эти металлы не были известны древним майя.

Кассандра вспомнила, как она читала о том, что порой изделия, найденные в египетских

* Обсидиан — вулканическая порода.

гробницах, оказывались новыми и блестящими, хотя пролежали в закрытых помещениях тысячи лет, но когда их доставали оттуда и они попадали в загрязненный воздух современного индустриального города, то быстро тускнели.

— Внимание! — произнесла она в микрофон. — Мы должны исследовать эту пещеру с величайшей осторожностью.

Ей не терпелось пробраться туда, чтобы всем сердцем насладиться находкой, но внутренний голос удержал ее.

— Я решила пока не проникать в пещеру, — диктовала Кассандра, не давая сожалению отразиться на интонациях голоса. — Нельзя ничего нарушать, пока сюда не придет вся группа, чтобы помочь мне и высказать свое мнение. Я возвращаюсь за Келли и Джоном, они помогут расчистить ход и укрепить его. Нам также понадобится Кейт, чтобы сфотографировать все как есть, прежде чем мы войдем туда. — После паузы она добавила: — Хочу сказать для нашей летописи: по-моему, это экстраординарная находка.

Кассандра выключила диктофон. Выбравшись из щели, она начала было отряхиваться, но почти сразу махнула на это рукой. Уговаривая себя сохранять спокойствие, девушка отправилась в обратный путь по лабиринтам. Она думала о своем чудесном старом отце и воображала, как он будет гордиться дочерью, сделавшей открытие, которое затмит высшие достижения его карьеры.

Кассандра очень торопилась, ее шаги эхом отдавались под каменными сводами. Когда она подходила к низкому выходу из пирамиды, яркие лучи заходящего солнца ослепили ее, как огни приближающегося поезда. Она поспешно выбралась наружу.

— Эй, Келли! — закричала она. — Я кое-что нашла! Нужно срочно собрать всю группу. Мне не терпится, чтобы вы это увидели!

Никто ей не ответил. Она остановилась и некоторое время ждала в тишине, щурясь от солнца. Казалось, джунгли снова обезлюдели, вокруг слышались только неясные шорохи. Кассандра посмотрела на верхний ярус пирамиды, надеясь увидеть на ступенях с иероглифами двух студентов, но там никого не оказалось...

В это время дня видимость резко ухудшалась из-за сгустившихся сумерек, все предметы принимали неясные очертания. Лишь на западе над деревьями еще виднелся тонкий край уходящего солнца, подсвечивающий подножие пирамиды странным светом, как оранжевый маяк.

— Келли, Джон, Кристофер! — звала Кассандра. — Кейт, где вы?

Заслоняя глаза от солнечного света, она всматривалась туда, где Кейт днем устанавливала свой мольберт, и увидела его на земле сломанным. Подбежав ближе, она обнаружила на новой незаконченной работе четкий след грязного ботинка. Почуяв недоброе, Кассандра взбежала на ступени пирамиды. Там сегодня Кристофер и Келли усердно очищали и зарисовывали в блокнот иероглифы, чтобы потом расшифровать хронику истории Кситаклана.

Ни Келли, ни Кристофера... кругом ни души.

Она подбежала к руинам небольшого храма, который изучал сегодня молодой Джон Форбин, и заметила его ящик с инструментом, маленькие деревянные палочки и цветные ленты, которыми он разбивал исследуемый участок на секции, но никаких признаков самого Джона.

— Эй, Келли! Что за идиотская шутка! — закричала она.

Внутри у нее все сжалось, она почувствовала себя страшно одинокой в окружающих ее бескрайних джунглях. И, черт побери, почему сейчас так тихо в этом обычно шумном лесу?

До нее донесся шорох — кто-то приближался из-за пирамиды со стороны жертвенного колодца. У Кассандры отлегло от сердца. Наконец-то ее друзья вернулись!

Но из-за угла появились неясные силуэты незнакомых людей. Без сомнения, ни один из них не принадлежал к ее группе. В сумеречном свете она едва могла различить их лица, но ясно разглядела, что они вооружены.

Незнакомцы приблизились и навели на нее оружие. Один из них произнес по-английски с сильным акцентом:

— Вы пойдете с нами, сеньорита.

— Кто вы? — спросила Кассандра, загораясь гневом и забыв об осторожности. — Где моя группа? Мы — американские граждане. Как вы смеете...

Один из мужчин поднял винтовку и выстрелил. Пуля попала в стену пирамиды в шести дюймах* от лица Кассандры, отлетевшие острые каменные осколки поранили ей щеку.

Резко вскрикнув, девушка повернулась и помчалась в поисках убежища назад в храм. Она бежала вниз по длинному туннелю, слыша снаружи громкие крики на испанском, злобные проклятия. Еще выстрелы. Слава Богу, промахнулись!

Сердце ее колотилось, но она не стала тратить душевные силы на то, чтобы догадаться, кто эти люди и что им нужно. Она даже не думала о том, что они могли сделать с Кейт, Джоном, Кристофером и... Келли. Подумает об этом позже, если уцелеет.

Она оглянулась. Мужчин было едва видно у дверного проема, они ругались между собой. Один ударил другого, потом злобно поднял кулак. Еще выкрики по-испански.

Кассандра чуть не налетела на угол. Луч света покачивался перед ней. Оказывается, она забыла выключить фонарь, когда вышла из пирамиды. Может, у кровожадных незнакомцев нет фонаря, но они могут заметить ее тень на камен-

---

* Дюйм — английская единица длины, равная 0,0254 м.

ных стенах. Она выключила свет и стала на ощупь продвигаться вперед. Сзади раздалось несколько выстрелов. Даже если преследователи плохие стрелки, пуля могла срикошетить и убить ее.

У Кассандры не было другого выхода, и она продолжала бежать по запутанным коридорам все дальше в темноту. Завернув за один угол, затем за другой, снова включила фонарь, хотя слышала за спиной неуклюжий топот погони. Торопясь к недавно вырытому проходу в завале, она заметила на стенах отблески желтых огней и догадалась, что преследователи пытаются найти ее, освещая путь спичками и огоньками зажигалок.

Пока у Кассандры имелось преимущество. Она уже бывала здесь, у нее был фонарь и представление о маршруте — назад, к самому сердцу пирамиды. Но оттуда ей уже некуда будет бежать. Идти дальше, вглубь, значило попасть в ловушку. Она должна что-то придумать, перехитрить этих людей, кто бы они ни были.

Она достала магнитофон и перемотала ленту назад, надеясь, что надиктованные заметки помогут найти дорогу в удивительный зал. Может быть, ей удастся спрятаться там, пока незнакомцы не прекратят погоню. Но они могут поставить у входа охрану, а потом вернутся с фонарями, чтобы найти и убить ее в древних развалинах. Больше того, они могут просто залечь у входа и ждать, пока она не выползет сама, почти обезумев от голода и жажды.

Но нет, сейчас надо думать не об этой угрозе, а о том, чтобы выжить. Кассандра на ходу нажала кнопку «пуск», но услышала только слабое потрескивание и шуршание ленты. Что-то случилось с диктофоном и ее слова стерты! Она добавила еще один пункт в список событий, которых не могла понять, но была не в силах обдумывать сейчас. Ну что ж, она еще помнит дорогу и сумеет туда добраться. Коридоры пирамиды, прихотливо извиваясь, вели все ниже, пол был усыпан осколками камней. Кассандра еле шла, хватаясь за стены, но упорно продвигалась вперед. Прозвучал еще один выстрел. Странно, почему они без толку тратят патроны, ведь наверняка не смогут в нее попасть? Наверное, им не по себе от эха собственных шагов? Что может быть опаснее испуганных вооруженных людей...

Наконец Кассандра нащупала гладко отполированные стены внутреннего храма и поняла, что близка к цели. А что делать потом, это другой вопрос. Посветив фонарем, она нашла вырытое в завале отверстие, похожее на открытую рану... Нет, это был люк для побега.

Стиснув зубы, Кассандра вскарабкалась на груду каменных обломков и, как змея, скользнула в щель. Раньше она казалась ей тесной, но сейчас паника словно подталкивала ее вперед. Камни сквозь рубашку царапали спину и плечи, но Кассандра этого не чувствовала. Она пробралась через каменный завал в пещеру и без сил рухнула на землю.

Кругом царила гнетущая тишина. Свет фонаря отражался от полированных поверхностей, изгибов и сфер, выполненных с геометрической точностью, что, безусловно, превышало возможности древних зодчих майя. Вдруг свет погас, словно внезапно сели батарейки. Вдалеке, за каменными стенами, в лабиринте раздались звуки новых выстрелов, затем еще и еще, намного громче, возможно, ближе, но она не могла быть уверенной: ведь изгибы каменных коридоров искажали звук.

Кассандра находилась в таинственной, совершенно неисследованной пещере. Она подошла и заглянула в боковой ход, который спиральными спусками уходил далеко вниз, в самое сердце пирамиды. Похоже, крутой туннель вел гораздо ниже уровня земли. Не раздумывая ни секунды, она поспешила вниз, все более удаляясь от преследователей.

У нее зародилась слабая надежда, что этот уклон приведет к неизвестному выходу из пирамиды глубоко под стеной. Тогда она наконец выберется отсюда!

Резкий звук выстрела, усиленный эхом, заставил ее вздрогнуть. Кассандра понимала, что ее враги не могут быть так близко. Она должна была оторваться от них благодаря крутым и запутанным изгибам лабиринта, но страх гнал ее вниз все быстрее и быстрее... пока она не оказалась в гроте, поразившем ее с первого взгляда.

...Стеклянные панели на стенах отражали множество хрустальных сфер, мерцающих предметов различной конфигурации, металлических полос, уложенных вдоль известняковых стен в геометрическом порядке. Но не успела она осмотреться, как фонарь снова потух, словно лишившись энергии, истощив батарейки досуха, так же необъяснимо, как прежде оказалась стертой магнитофонная запись.

Кассандре вдруг стало трудно глотать, возникло ощущение клаустрофобии, потерянности. Она, пошатываясь, двинулась вперед, закрыв глаза, вытянув перед собой руки, страстно желая дотронуться до чего-нибудь земного, знакомого. Ищущие пальцы наткнулись на маленькую дверцу. Она рванулась вперед, надеясь увидеть за ней свет.

Ослепительный блеск залил все вокруг, и спустя мгновение Кассандра поняла, что очутилась в крохотной, тесной нише без выхода, размером с туалет или... гроб. Яркий свет струился из-за гладких блестящих стен.

Молнией мелькнула мысль о том, что такой конец, может быть, хуже, чем вооруженные люди,

Ледяной холодный поток каскадом обрушился на нее, подобно жидкости, замораживая, сковывая тело и волю, и все мысли пропали.

2

Штаб-квартира ФБР.
Вашингтон, округ Колумбия.
Вторник, 9.14

Как только специальный агент Дана Скалли решалась появиться в недрах штаб-квартиры ФБР, чтобы поговорить со своим партнером Фоксом Малдером, ей всякий раз казалось, будто она делает что-то незаконное или по меньшей мере неблагоразумное.

Она помнила тот день, когда, будучи неопытным агентом, прямо со студенческой скамьи непостижимым для нее образом оказалась причислена к группе «Икс-Файлз» и приглашена сюда, в кабинет Малдера.

— Один из самых нежелательных для ФБР сотрудников, — своеобразно представился он.

В то время агент Малдер считал ее шпионкой, приставленной к нему высшим руководством ФБР, настороженным его страстью к необъяснимым явлениям.

За три года совместной работы Скалли и Малдер расследовали десятки дел и теперь полностью доверяли друг другу. Малдер был твердо убежден в существовании сверхъестественных явлений и внеземных цивилизаций, и его вера оставалась непоколебимой, тогда как Скалли в ходе следствия всегда настойчиво искала рациональные объяснения событий. Несмотря на частое несовпадение своих заключений, вдвоем они добивались исключительных успехов.

Скалли так часто посещала тесный кабинет своего партнера, что заранее представляла, какой немыслимый и наводящий тоску беспорядок там застанет. Предчувствие не обмануло ее и на этот раз.

По всему кабинету были разбросаны материалы его специфических исследований: видеокассеты, клочки бумаги с формулами ДНК, истории болезни, увеличенные фотографии оспенных рубцов на высохшей коже, сделанные впопыхах снимки смутно видимых объектов, которые якобы доказывали существование летающих тарелок. Кусок искореженного металла, предположительно от потерпевшего крушение космического корабля, найденного в Висконсине, занимал одну из полок. Дюжина папок с материалами так и нераскрытых таинственных дел ожидали того момента, когда их поместят на хранение в ящики черных шкафов — закрытый архив под названием «Икс-Файлз», что было смыслом и оправданием жизни Малдера.

Поправив золотисто-рыжие волосы, Скалли постучала в открытую дверь и вошла.

— Не знаю, хватит ли у меня сил с утра, чтобы не дрогнуть перед этим хаосом, Малдер, — сказала она.

Малдер развернул свое вертящееся кресло, выплюнул в ладонь шелуху от семечек и поднялся ей навстречу.

— Если есть на завтрак кашу, тебе сам черт не будет страшен, — с усмешкой продекламировал он.

Скалли не понравилась его усмешка, поскольку она означала, что он захвачен какой-то новой или экстраординарной теорией, которую ей, по всей видимости, придется развенчивать. Взглянув на стол, она заметила, что он завален литературой по археологии, древней мифологии и крупномасштабными картами Центральной Америки. Скалли попыталась сопоставить факты и понять, что на сей раз предложит расследовать ее партнер.

— Взгляни на это, Дана. — Он протянул ей светло-зеленый гладкий камень с какой-то гравировкой, размером не больше кулака. — Ну-ка отгадай с трех раз.

Скалли взяла камень, взвесила его в руке и стала рассматривать. Это была искусно вырезанная из цельного обломка камня скульптурка какого-то странного существа. Извивающееся мускулистое тело змеи венчала змеиная же голова, вокруг которой угрожающе топорщились неожиданные и не совместимые с ней длинные перья. Торчавшие из разинутой пасти изогнутые острые зубы придавали существу невероятно свирепый вид. Каменная скульптурка казалась смазанной маслом — с таким совершенством она была отполирована. Мастер оказался настоящим художником. Изображение точно совпадало с неправильной формой обломка. Дана поглаживала пальцами узор, гадая, какому испытанию подвергнет ее Малдер на этот раз.

— Что об этом думаешь? — спросил он.

— Отказываюсь понимать. — Она снова повертела камень, но он оставался для нее загадкой. — Елочное украшение?

— Ничего подобного.

— О'кей, — сказала она, решив быть серьезной. — Думаю, я узнала этот камень. Нефрит?

— Очень хорошо, Скалли. Я и не знал, что на медицинском факультете преподают минералогию.

— А они взяли и включили минералогию, скажем, в курс психологии. — Скалли снова устремила взгляд на фигурку. — Она выглядит очень древней. Какое-нибудь мифологическое существо, верно? Судя по твоим книгам, могу предположить его происхождение... Ацтеки?

— Вообще-то майя, — ответил он. — По самым скромным оценкам, этому чуду около полутора тысяч лет. Майя почитали нефрит, для них он был священным камнем, из него делали только самые значительные вещи.

— Такой же ценный, как золото? — спросила Скалли, подыгрывая Малдеру, чтобы понять, что ему уже удалось разузнать.

— Гораздо более ценный. Майя обычно носили его у поясницы как средство от колик и других болезней. Они даже вкладывали этот камень в рот особо почитаемым покойникам, так как верили, что он будет служить им сердцем в загробной жизни.

— Сказка о каменном сердце. — Скалли повертела камень. — Сразу видно, такая резьба требовала огромных усилий.

Убрав книгу, Малдер оперся локтем на стол и кивнул.

— Это был своего рода вызов для резчика. Нефрит — очень твердый и плотный камень, поэтому мастер не мог использовать обычные инструменты, которыми пользовался при резьбе по кремню или обсидиану. Ему бы потребовались абразивный порошок и еще множество инструментов и приспособлений: пилки, костяные сверла, специальный шнур из прочного и жесткого волокна — им протирают в камне вот эти маленькие желобки. Потом полируют изделие тыквой или камышовой палочкой. Адская работа!

— О'кей, Малдер. Итак, это не обычная игрушка. Кто-то действительно хотел придать ей особое значение. Тогда меня интересует, какой смысл имеет эта необычная фигурка — змея с перьями. Что, майя почитали змей?

— О, вовсе нет, — ответил он. — Ты правильно заметила, это не обычная змея, а известный мифологический персонаж, связанный с богом Кукульканом. Так его называли майя. А ацтеки пользовались именем Кецалькоатль. Кукулькан — бог великой мудрости. Некоторые историки утверждают, что Кукулькан научил майя астрономии и искусству составлять календари.

Малдер предложил ей семечек. Она отрицательно качнула головой, и он бросил несколько штук себе в рот.

— Жрецы — астрономы майя были настолько сильны в расчетах, что точность их «примитивных» календарей не превзойдена по сей день. Они даже построили машину, чтобы производить с ее помощью календарные вычисления, основанные на пятидесятидвухлетнем цикле. Кукулькан, безусловно, был великим учителем или... ему было известно то, чего остальные не знали. Математические способности майя даже сверхэкстраординарны, они единственными из древнейших цивилизаций ввели понятие нуля... что так важно для чековой книжки!

— Только не для моей, — сказала Скалли.

Она наконец нашла себе место, чтобы присесть. Отодвинула коробку, наполненную гипсовыми слепками огромной ступни, взглянула на них, но, не рискнув ни о чем расспрашивать, перешла к делу:

— Все это очень интересно, Малдер. Но

какое отношение имеет к тебе этот полуторатысячелетний камень в форме пернатого змея? Что, люди стали находить их на задних дворах? Или ты обнаружил какое-то противоречие в нашем календаре, которое смогут объяснить только древние резные изделия майя?

Она передала ему нефритовую скульптурку, и он бережно поставил ее на подборку материалов о Центральной Америке.

— При обычных обстоятельствах нас бы это никак не касалось, — ответил он. — Но эта вещица недавно была конфискована на границе мексиканского штата Кинтана-Роо, в южной части Юкатана. Арестованный торговец заявил, что эта скульптурка найдена во время археологических раскопок в руинах какого-то Кситаклана, недавно открытого глубоко в джунглях города майя. Судя по отчетам мексиканских властей, за последние десять лет там довольно часто и весьма загадочно исчезали люди. А поскольку эта местность дикая и изолированная, можешь быть уверена, что большинство этих случаев нигде не зарегистрировано.

Скалли непринужденно закинула ногу на ногу:

— Я все-таки не вижу здесь связи, Малдер.

— Многие местные жители ни за что не подойдут к этому месту, считая, что оно проклято или священно... что тебя больше устраивает. Их легенды рассказывают о злобном Пернатом Змее и боге Кукулькане, о погибших душах священных жертв, кровь которых окропляла жертвенные камни.

— Сомневаюсь, чтобы Бюро послало нас расследовать проклятия древних майя, — заявила Скалли, выпрямившись на старом канцелярском стуле.

— Кроме этого, есть кое-что еще. — Глаза Малдера сверкнули. — Группа американских археологов из Калифорнийского университета в Сан-Диего недавно начала раскопки Кситаклана. По данным их первых отчетов, эта местность совсем не изучена и там можно найти ключ к разгадке многих тайн истории майя. Скорее всего это была их первая попытка построить сооружение такого масштаба. Точно известно, что там часто совершались жертвоприношения. — Он улыбнулся, словно готовился окончательно потрясти ее. — Но кроме того, я сделал предварительный химический анализ скульптуры и выявил несколько серьезных аномалий: странная кристаллическая структура, неопределенные примеси. Есть все основания думать, что этот материал происходит не из руин Кситаклана...

Скалли любовалась мягким зеленым цветом камня.

— Ты думаешь, эта вещь попала к нам из космоса?

Малдер встал и стряхнул шелуху от семечек в корзину для бумаг.

— Неделю назад партия археологов бесследно исчезла. Сообщений о несчастье или каких-либо тревожных обстоятельствах не поступало. Мы с тобой едем их искать.

— Но, Малдер, ты считаешь, нам будет просто работать под надзором мексиканских властей?

— Вчера мне звонил отец Кассандры Рубикон, молодой женщины, которая руководила этой группой. Кажется, он и сам очень известный археолог. Он уже звонил в отделение ФБР в Сан-Диего. Как только они услышали слова «древнее проклятие» и «руины майя», то сразу передали дело мне. — Малдер пристально посмотрел на Скалли и значительно поднял брови: — Сегодня днем я увижу Скиннера. Завтра мы с тобой идем на встречу с Владимиром Рубиконом, он здесь, в Вашингтоне.

Скалли взглянула на нефритовую скульптурку, на книги по мифологии, затем на сияющее улыбкой лицо Малдера.

— Думаю, отговорить тебя от этого уже не удастся? — спросила она.

— Конечно, нет. — ответил он.

— Ну что ж, — вздохнула Скалли, — мне кажется, я всю жизнь мечтала съездить в Мексику.

Помощник директора Скиннер сидел за столом, постукивая кончиками пальцев по лежащим перед ним безупречно отпечатанным документам. Он не встал, когда Малдер вошел в кабинет.

«Обычно это служит недобрым знаком», — подумал Малдер. С другой стороны, Скиннер пару раз кинул на него косой взгляд, пока он подходил к его столу. Малдер решил не гадать о настроении начальства.

Человек прямой, Скиннер мог быть или очень надежным другом или самым опасным врагом. Он знал свое дело и передавал информацию Малдеру, только когда считал это необходимым.

В данном случае Малдеру нужна была его благосклонность: они со Скалли собирались на Юкатан.

Скиннер поглядел на него сквозь очки в металлической оправе:

— Уверен, вы не представляете себе, за какое тонкое дело беретесь, агент Малдер.

Малдер, весь внимание, стоял перед высокочтимым столом. Сохраняя на лице нейтральное выражение, он смотрел на висевшие на стене портреты президента и министра юстиции.

— Я намерен действовать с предельной осторожностью.

Скиннер кивнул, демонстрируя, что он рассчитывал именно на это.

— Обдумывайте каждый шаг. Это очень важный случай. Исчезновения людей, возможно, имеют отношение к преступлениям против американских граждан, поэтому это подпадает под юрисдикцию Бюро. Я получил для вас и агента

Скалли статус представителей, то есть легальных атташе, направленных для работы в Посольство США в Мексике. — Он поднял палец, призывая к вниманию: — Но вы знаете, насколько деликатна ситуация в условиях существующей экономической и политической напряженности. Мексиканское правительство всегда болезненно реагирует на любые действия американских властей на своей территории. Мне нет нужды напоминать вам, сколько агентов Бюро по борьбе с наркотиками погибло от рук наркобаронов в Центральной Америке.

Место, куда вы направляетесь, штат Кинтана-Роо, — очаг политической борьбы. Местное правительство особенно уязвимо из-за упорного, набирающего силу движения сепаратистов, которые получают оружие по неустановленным каналам.

— Вы предполагаете, что партия археологов могла оказаться жертвой политической борьбы? — спросил Малдер.

— Нахожу это более правдоподобным, чем басни о проклятии древних индейцев, — ответил Скиннер. — Вы так не думаете?

— Может быть, и нет, — сказал Малдер. — Мы должны проверить любую возможность.

Скиннер собрал командировочные удостоверения и денежные чеки и передал их Малдеру. Тот принял документы, отметив про себя, что чеки уже подписаны.

— Надеюсь, вы будете строго соблюдать протокол, агент Малдер, — произнес Скиннер. — Я бы пожелал вам в любой ситуации придерживаться этой линии.

— Есть, сэр.

— Если вы заденете кого-либо в верхах, вам придется отвечать не только в ФБР, но и в госдепартаменте. Если вы до этого не угодите в какую-нибудь мексиканскую тюрьму.

— Постараюсь держаться от них подальше, сэр. — Малдер взял документы и сунул их под мышку.

— Еще одно, агент Малдер, — бесстрастно произнес Скиннер. — Желаю приятного путешествия. — Лицо его при этом не выразило никаких эмоций.

3

Офис журнала «Одинокий охотник».
Вашингтон, округ Колумбия.
Вторник, 16.40

— Когда все оказываются в тупике, специальный агент Малдер является и находит выход, — произнес Байерс, откидываясь на стуле. Он дружелюбно улыбнулся Малдеру и погладил аккуратную рыжеватую бороду.

Малдер закрыл за собой дверь и оказался в мрачном помещении офиса. Издание «Одинокий охотник» специализировалось на публикации всевозможных разоблачительных материалов, а это подразумевало знание истинной подоплеки множества тайных акций, совершенных при участии правительственных структур.

Скалли как-то сказала, что считает эксцентричных типов, которые издают этот подпольный журнал, самыми ненормальными людьми из всех, кого она когда-либо встречала.

Но Малдеру не раз приходилось убеждаться в

том, что особая информация, которой располагали три одиноких охотника, часто вела в таком направлении, о котором официальная пресса и не подозревала.

— Привет, ребята, — сказал он. — О чем говорят в мире на этой неделе?

— Мне кажется, Малдер просто следит за нами, — отозвался Лэнгли, с ленивой грацией прохаживаясь по комнате.

Высокий и сухопарый, небрежно одетый, он умел одинаково легко сойти за своего и в компании компьютерных психов, и среди устроителей гастролей рок-групп.

— Пусть остерегается, — добавил он, поправляя очки в черной оправе.

Похожие на паклю волосы Лэнгли были неестественно светлыми и наводили на подозрение, что он их красит. Малдер никогда не видел его одетым во что-либо иное, кроме майки с рекламой одной из лохматых рок-групп.

— Думаю, ему просто нравится наша компания, — пробормотал Фроик, возившийся на металлическом помосте с разобранной на части дорогой видеокамерой.

Лэнгли включил большой магнитофон, чтобы записать их разговор.

— Точно, вы именно такие парни, которые мне и нужны, — обезоруживающе улыбнулся Малдер.

Байерс всегда носил костюм и галстук. Любая мать гордилась бы таким сыном, умным и мягким в общении, если бы не его нескрываемая оппозиция к любым государственным организациям и неудержимая страсть к тайнам неопознанных летающих объектов.

Фроик, очкарик с коротко подстриженными волосами и резкими чертами лица, казалось, не принадлежал ни к одной социальной группе. Он был давно влюблен в Дану Скалли, но дальше разговоров с его стороны дело не шло. Малдеру казалось, что Фроика хватит удар, если Скалли вдруг согласится куда-нибудь с ним пойти. Тем не менее он был очень тронут, когда этот невысокий застенчивый парень пришел с цветами навестить Скалли в больнице, где та лежала в коме после освобождения из рук похитителей.

На двери офиса «Одинокого охотника» не было вывески, и ни в одной телефонной книге нельзя было найти их имен. Троица предпочитала делать свои дела незаметно.

Кто бы и когда бы ни звонил в офис, разговор обязательно записывался на магнитофон. При этом ребята всячески старались скрыть от посторонних глаз свою деятельность в Вашингтоне и его окрестностях.

На широких полках размещались всевозможная аппаратура для наблюдения, прослушивания и тому подобного, а также несколько мониторов. Опутывающие стены провода обеспечивали возможность подключения к любой телефонной или компьютерной сети. Малдер подозревал, что одиноким охотникам никогда не предоставляли официального допуска ко многим системам, но это не мешало им проникать в базы данных закрытой информации правительственных организаций и крупных промышленных групп.

Стулья были заняты коробками с плотными темно-желтыми конвертами, уложенными адресами вниз. Малдеру были хорошо знакомы эти конверты без обратного адреса.

— Ты пришел вовремя, агент Малдер, — сказал Фроик. — Мы как раз готовим для рассылки новый номер. Нужно разложить их кучек на тридцать по почтовым индексам, так что мы рады любой помощи.

— А можно сперва ознакомиться с их содержанием? — спросил Малдер.

Лэнгли с шумом достал из одного магнитофона заполненную кассету, убрал ее в футляр, наклеил этикетку и поставил новую кассету.

— Это специальный выпуск «Одинокого охотника». Наш номер «Весь Элвис».

— Элвис? — спросил удивленный Малдер. — Ребята, я думал, вы выше этого.

— Для нас нет тайн ниже нас! — с комическим пафосом произнес Байерс.

— Понимаю, — ответил Малдер.

Лэнгли снял очки и протер их своей майкой. Потом уставился маленькими глазками на Малдера и снова надел очки.

— Ты не представляешь, Малдер, что мы раскопали. Когда прочтешь наш обзор исторической ретроспективы, твое отношение к этому полностью изменится. Я провел большую часть расследования и сам написал об этом. Мы думаем, Элвис был выдвинут на роль мессии неизвестными нам могущественными людьми. Подобные примеры уже встречались в истории. Погибший король возвращается после предполагаемой кончины, чтобы снова возглавить свой народ. Может ли найтись более мощная база для создания какой-нибудь новой коварной религии?!

— Ты имеешь в виду легенду о короле Артуре, который обещал вернуться из Авалона? — спросил Малдер. — Или Фредерика Барбароссу, уснувшего в горной пещере до тех пор, пока его продолжающая расти борода не сможет обернуться вокруг стола, после чего он вернется, чтобы спасти Священную Римскую империю?

Лэнгли нахмурился:

— С этими двумя вышла промашка, потому что мессия никогда не возвращался, как обещал. Однако возьмем Россию: царь Александр I победил Наполеона и как будто умер, но в течение многих лет крестьяне рассказывали, что видели странствующего нищего или монаха, который называл себя истинным царем. Это очень популярная легенда. Ну и разумеется, Библия с умершим и воскресшим для своих последователей Иисусом Христом. Не стоит напоминать тебе, сколько якобы видевших Элвиса объявляется каждый день. Мы думаем, это все срежиссиро-

вано, чтобы подготовить почву для нового фана-
тичного культа.

— Так или иначе, все надеются на чудо, —
сказал Малдер.

Он вытянул из ближайшего конверта журнал,
чтобы взглянуть на портрет Элвиса Пресли на
первой странице обложки, просмотрел вступи-
тельную статью.

— Итак, вы хотите сказать, что кто-то пыта-
ется убедить всех в том, что рождение Элвиса
фактически и было Вторым пришествием?

— Ты знаешь, Малдер, как доверчивы
люди, — сказал Фроик. — Подумай об этом.
Некоторые его песни для них настоящий Новый
завет. Например, «Люби меня нежнее» или «Не
будь жестоким». Они вполне могут быть частью
Нагорной проповеди.

Байерс наклонился вперед:

— А если подумать об их месте в современной действительности, то по сравнению с Нагорной проповедью любой хит захватывает в
тысячу раз больше народа.

— А-а, — протянул Малдер, — так вот что
Элвис пытался сказать своими песнями «Тю-
ремный рок» и «Гончая».

— Здесь еще надо поработать, — сказал Лэнгли. — Наша интерпретация появится в следующем номере. Тебя это удивит.

— Заранее потрясен!

Байерс пожал плечами и выпрямился на
стуле:

— Мы не выносим приговор, Малдер, мы только даем факты. А дело наших читателей — создать свое мнение.

— О вас или о тайнах, о которых вы рассказываете?

Фроик взял большую камеру и сфотографировал Малдера.

— Для нашего архива, — пояснил он.

Малдер поднял только что отпечатанный выпуск:

— Можно взять экземпляр?

— Этот должен быть на почте, — ответил Фроик.

— Почему бы тебе не пойти дальше и не подписаться, Малдер, — предложил Лэнгли. — Пусти часть своей фэбээровской зарплаты на хорошее дело.

Байерс улыбнулся:

— Пожалуй, не стоит. Такую фигуру, как Малдер, следует обеспечивать каждым выпуском. Кроме того, я бы чувствовал себя неуютно, если бы его имя и адрес значились в нашем почтовом списке.

— Боитесь, что тогда не смогли бы посылать списки адресов в Расчетную палату издателей?

— Наши читатели — люди особого рода, Малдер, — сказал Байерс. — Им не хотелось бы увидеть свои имена среди других, они также заинтересованы в некоторой информации, которую мы предлагаем. Не так-то просто застраховаться, чтобы список наших адресатов не попал в чужие руки. Каждый из нас троих хранит одну треть имен в отдельном файле с отдельным паролем на отдельной компьютерной системе. Мы не можем проникать в записи друг друга. Только вносим адреса с уже напечатанных почтовых карточек.

— А их печатаем на копировальной машине, — сказал Фроик.

— Нельзя быть более осторожными, — сказал Лэнгли.

— Да, пожалуй, нельзя, — подтвердил Малдер.

— Ну что, уже пора запечатывать конверты, — сказал Лэнгли. — Были бы счастливы втянуть тебя в это дело.

Малдер поднял руки:

— Нет уж, благодарю, я зашел только за кое-какой информацией и потом должен бежать по делам.

— И как же мы можем спасти простодушных граждан от грязных происков государства? — спросил Байерс. — Ну, хотя бы на сегодняшний день?

Малдер убрал со стула коробку с конвертами и уселся.

— Вы что-нибудь слышали о Центральной Америке, Юкатане, особенно о каких-то новых руинах городов майя, которые сейчас обнаружены? Кситаклан... У меня есть пропавшая археологическая экспедиция, и я нашел одну штуку явно не земного происхождения.

— Дай подумать, — сказал Лэнгли, почесывая голову. — В колледже я специализировался по археологии.

Байерс скептически взглянул на него:

— Я думал, ты занимался социальными науками.

Фроик покосился через очки:

— Мне ты говорил, что это было электронное машиностроение.

Лэнгли пожал плечами:

— Просто у меня были разносторонние интересы.

Байерс, посерьезнев, обернулся к Малдеру:

— Центральная Америка, говоришь? До меня доходили неподтвержденные слухи о событиях в этом регионе. Там в одном из штатов на Юкатане действует какое-то сепаратистское движение. Называется «Либерасьон Кинтана-Роо». Кажется, оно набирает силу — взрывы поездов, письма с угрозами, ну и конечно, ты знаешь про американский военный комплекс, который поставляет борцам за свободу вооружение по непомерным ценам.

— Зачем они это делают? — спросил Малдер.

— Чтобы добиться политической нестабильности. Для них это игра, — сказал Байерс, и в глубине его обычно спокойных глаз сверкнули яростные огоньки. — И не забывай о влиятельных местных наркобаронах. Они могут позволить себе торговать оружием, скупая технологии. Серьезная проблема, о которой мы даже не задумывались лет десять назад.

— Я-то думал об этом, — сказал Фроик.

— И как все это связано с твоими интересами, Малдер? — спросил Лэнгли.

— Я уже сказал, что неделю назад там пропала американская археологическая экспедиция. Они нашли изделия древних мастеров, которые затем попали на черный рынок. Местные жители не любят появляться рядом с этими руинами. По их представлениям, над городом тяготеет древнее проклятие. Он был покинут тысячу лет назад, а сейчас, я слышал, поговаривают о мести Кукулькана, их бога мудрости, и его грозного стража — Пернатого Змея.

— Зная тебя, Малдер, я бы удивился, если бы ты не охотился за древним астронавтом, — сказал Лэнгли.

— Об этом я еще подумаю, — ответил тот. — С историей и культурой майя связано много всяких тайн, но я пока не готов в них разбираться. С древними астронавтами и проклятием майя... без наркобаронов, военных операций и революционного движения, о которых говорил Байерс, Юкатан действительно место, где всегда что-нибудь случается.

— Итак, ты вместе с прелестной Скалли собираешься заняться расследованием? — поинтересовался Фроик.

— Вот именно. Как раз завтра мы вылетаем в Канкун.

— Хотел бы я увидеть агента Скалли со здоровым тропическим загаром, — продолжал Фроик.

— Заткнись, Фроик, — отрезал Малдер.

Он собрался уходить. Дело шло к концу рабочего дня, и на Белтвей, должно быть, сумасшедшее движение, а ему хотелось попасть в офис и немного поработать.

— Спасибо за информацию, — сказал он.

Когда он был уже в дверях, Байерс окликнул его, вставая и поправляя галстук.

— Агент Малдер, — попросил он, — если найдете действительно что-нибудь интересное, не откажите в любезности, дайте нам знать. Для нашего архива.

— Посмотрим, может, и смогу что-нибудь для вас сделать, — ответил Малдер.

4

Вилла Ксавье Салида.
Штат Кинтана-Роо, Мексика.
Вторник, 17.01

Старый полицейский джип с государственными номерами ехал по трехрядной дороге, поднимавшейся в гору. Окруженная высокими стенами крепость одного из самых могущественных наркобаронов штата Кинтана-Роо стояла в густом лесу, как цитадель.

Машина медленно продвигалась по мокрой мощенной гравием дороге. Было заметно, что автомобиль хотели подновить, для чего покрасили, но цель не была достигнута, так как на изношенный металл кузова краска легла пятнами.

На переднем сиденье развалился Фернандо Викторио Агилар, притворяясь спокойным и непринужденным, словно был уверен в успехе предстоящей сделки. Он потер чисто выбритое всего час назад лицо, наслаждаясь свежей гладкостью кожи. Резкий, но приятный запах его одеколона наполнял машину, маскируя другой, не такой благоуханный аромат того, что Карлос Баррехо, шеф полиции штата Кинтана-Роо, усердно принимал в течение рабочего дня.

Баррехо вел машину медленно, объезжая грязные лужи. Гордый своим положением, он, рисуясь, как генеральский мундир, носил опрятную полицейскую форму, разыгрывая роль искушенного и смелого воина. Однако то, что Агилар знал о Баррехо, не позволяло считать его таковым.

На заднем сиденье разместился Пепе Канделариа, худой молодой индеец, готовый делать все, что прикажет Агилар. Он охранял какой-то предмет, тщательно упакованный в коробку.

Если бы Агилар или Пепе сделали что-нибудь, за что их по государственному закону следовало бы арестовать, они нисколько не сомневались в том, что Баррехо никогда не возьмет их под стражу, потому что ему было что терять.

Машина остановилась перед внушительными, украшенными великолепной кованой решеткой воротами, перекрывавшими въезд в крепость. Баррехо опустил окно и помахал рукой вооруженному до зубов охраннику, который сразу его узнал.

Агилар с уважением посматривал на толстые стены мощной крепости Ксавье Салида. Плиты стен покрывали богатая резьба, письмена и рельефы ягуаров, пернатых змеев и жрецов в головных уборах из кованых золотых пластинок, украшенных перьями птицы кецаль. Некоторые резные панели были подлинными, вытащенными из забытых и заросших руин в джунглях. Другие были ловкими подделками, которые сбывал Агилар.

Ксавье Салида не понимал разницы. Наркобарона, несмотря на его могущество, несложно было надуть.

— Tiene una cita, señor Barrejo?* — спросил охранник по-испански. — Вам назначена встреча?

Карлос Баррехо побагровел, густые усы встопорщились над верхней губой, и под фуражкой взмокли волосы. Шевелюра у него была жидкая, макушку украшала большая лысина, но фуражка скрывала эти детали.

— Мне нет нужды договариваться о встрече, — рявкнул он. — Эччеленца Салида сказал, что в его доме мне всегда рады.

Агилар перегнулся через водительское сиденье, желая прервать стычку, чтобы не терять времени даром.

— У нас есть еще одна старинная драгоценная вещь, о которой эччеленца Салида давно мечтает, — крикнул он в окно. — Вы знаете, как он их любит, а эта — самая ценная из всех.

Он бросил выразительный взгляд на заднее сиденье, где под упаковкой пряталось сокрови-

---

* У вас назначена встреча, сеньор Баррехо? (исп.)

ще. Тощий Пепе Канделариа бережно обнимал коробку.

— Что это? — спросил охранник.

— Только для глаз эччеленца Салида. Ему очень не понравится, если охрана увидит товар до того, как он сам сможет оценить его.

Агилар надвинул поглубже широкополую шляпу из шкуры оцелота и обнадеживающе улыбнулся.

Охранник нервно потоптался, перевесил винтовку с одного плеча на другое и наконец распахнул тяжелые ворота.

Шеф полиции припарковал машину в просторном, вымощенном плитами внутреннем дворе. В конурах выли и лаяли собаки: Салида держал для устрашения полдюжины чистокровных доберманов. Вокруг фонтана под прохладными брызгами чинно прогуливались важные павлины.

Агилар повернулся к водителю и пассажиру на заднем сиденье:

— Это очень важная сделка, так что говорить буду я. Когда встретимся с Салида, я буду вести переговоры. Вещь очень редкая и необычная, мы даже не смогли установить ее точную цену.

— Только постарайся добиться как можно большего, — пробурчал Баррехо. — «Либерасьон Кинтана-Роо» нуждается в оружии, а оно стоит денег.

— Ах да, твои прекрасные революционеры, — пренебрежительно откликнулся Агилар.

Он отряхнул жилет, затем поправил свою пятнистую шляпу так, чтобы длинные темные волосы, собранные сзади в хвост, спускались из-под ее полей. Потом внимательно осмотрел просторный двор виллы Салида, выстроенной из необожженного кирпича.

Тяжелое было дело — незаметно утащить у бдительных американских археологов эти вещицы из Кситаклана, но теперь все в порядке. А иностранцы больше не доставят хлопот. Эта необычная диковина была одной из последних крупных находок, вынесенных из пирамиды — «пещеры чудес», как ее называли трепещущие от суеверного страха индейцы. Агилар похитил ее незадолго до того, как сбежал от американцев в джунгли, и никому не собирался рассказывать, где добыл это сокровище.

Но сейчас его люди совершили новый набег на Кситаклан и свободно исследовали руины, где было чем поживиться. Для всех, кто столько рисковал, настало время снимать урожай.

Агилар и Баррехо вышли из машины, а Пепе вытащил коробку, неуклюже обхватив ее. Загадочный предмет, несмотря на размеры, весил удивительно мало, но у молодого индейца были короткие руки и ноги. Ни Агилар, ни Баррехо не предложили ему помочь.

Балконы на втором этаже виллы были увиты цветами, которые свешивались с перил и вползали на кирпичную кладку. На одном балкончике висел гамак, на другом стояли плетеные стулья.

Из дверей навстречу им вышел еще один вооруженный охранник.

— Hola!* — сказал Агилар, сияя отработанной до мелочей улыбкой. — Нам нужно видеть эччеленца Салида.

— Боюсь, он сегодня не в лучшем настроении, — ответил охранник. — Если вы войдете, рискуете окончательно вывести его из себя.

— Он будет рад нас видеть, — снова улыбнулся Агилар. — Если хочешь улучшить его настроение, позволь нам показать ему то, что мы принесли, идет?

Страж взглянул на коробку и тотчас принял непреклонную позу, весь напрягшись от подозрительности. Но прежде чем он успел что-то возразить, Агилар быстро проговорил:

— Новая ценная штука для твоего хозяина. Еще более потрясающая, чем статуэтка пернатого змея, которую мы привозили. А ты знаешь, как она ему понравилась.

В этот момент один из павлинов поднял ужасный шум, издавая пронзительные громкие крики. Агилар оглянулся и увидел большую птицу, развернувшую веером свой переливчатый хвост. Павлин сидел на вершине каменной стелы, с вырезанными на ней иероглифами майя и устрашающими изображениями головы ягуара.

Высота многотонной стелы равнялась десяти

---

* Привет! (*исп.*)

футам*. Она уже начала слегка клониться набок, хотя работник Салида прочно укрепил ее в грунте. Десяткам рабочих пришлось попотеть не один час, чтобы в полной тайне втащить эту реликвию вверх по мощенной гравием дороге в окруженный высокими стенами двор наркобарона.

Павлин снова закричал, красуясь роскошным оперением. Агилару захотелось вырвать у него все перья, одно за другим.

Стражник проводил посетителей в прохладный холл, откуда они стали подниматься по большой фигурной лестнице на второй этаж. Ксавье Салида устроил там кабинет и личные покои, куда удалялся, утомившись от дел. Сияющие пылинки плясали в солнечных лучах, пробивавшихся сквозь узкие окна.

В гулком помещении эхо отражало звук шагов. Дом казался тихим и сонным... пока они не достигли второго этажа. Там раздавался громкий раздраженный голос Салида. Охранник покосился на трех визитеров:

— Я предупреждал, что сеньор Салида сегодня в плохом настроении. Один из наших малогрузных самолетов разбился неподалеку отсюда. Мы потеряли пилота и много-много килограммов товара.

— Я не имею к этому никакого отношения, — сразу занял оборонительную позицию Баррехо.

---

* Фут — единица длины в английской системе мер, равная 0,3048 м.

Охранник поглядел на шефа полиции:

— У сеньора Салида на этот счет свои соображения.

Они приблизились к одной из самых больших комнат в апартаментах; богато изукрашенные резьбой двери красного дерева были закрыты неплотно, оставляя узкую щель. Сквозь нее доносился визгливый крик Салида:

— Гроуб! Это наверняка Питер Гроуб! Ни у кого больше не хватит смелости! — Салида умолк, словно слушал кого-то.

— Я не боюсь обострить конкуренцию, — рявкнул он в ответ. — Нужно получить в два раза больше, чтобы возместить потери, только без объяснений и угроз. Просто делай, что тебе говорят.

Он с треском бросил трубку, и наступила гнетущая тишина.

Агилар перевел дыхание, поправил шляпу и шагнул вперед. Он рассчитывал, что, взяв инициативу разговора в свои руки и рассыпаясь улыбками, сможет отвлечь наркобарона от неприятностей. Но охранник остался на месте, с винтовкой на плече, закрывая доступ в покои. Он покачал головой, предупреждая их:

— Пока нельзя, это неблагоразумно.

Минутой позже из комнаты послышалось пение. Судя по всему, исполнялась оперная ария. Голосу певца, доносившемуся из динамиков мощной стереосистемы, вторил визгливый фальцет, звучащий едва ли не резче павлиньего крика во дворе. Пели, видимо, о невыразимых человеческих страданиях на непонятном Агилару языке. Он знал, что Салида тоже не понимает ни слова, но мафиози любил пускать пыль в глаза, желая снискать славу знатока искусств. Почти пять невыносимых минут продолжалась эта пытка, затем пение резко оборвалось и его заменила более спокойная классическая оркестровая пьеса.

Услышав, что зазвучала другая музыка, охранник распахнул правую створку двери и жестом разрешил им войти. Агилар и Карлос Баррехо протиснулись в дверь плечом к плечу, хотя Агилар считал, что должен пройти первым, так как сегодня именно ему принадлежала главная роль. Сзади Пепе с трудом тащил коробку с упакованной реликвией.

Ксавье Салида повернулся к ним, протягивая навстречу руки и сияя почти неподдельной радушной улыбкой. Агилар был поражен столь быстрой сменой его настроения.

— Приветствую вас, друзья мои, — воскликнул Салида.

На нем был превосходно сшитый костюм и шелковая белая рубашка, из кармана пиджака спускалась золотая часовая цепочка.

Агилар поклонился и, сняв шляпу, прижал ее к груди жестом просителя.

— Мы счастливы, что вы пожелали видеть нас, эччеленца, — сказал он. — Хотим предложить вам еще одну замечательную древнюю вещь. Такой вы никогда не видели.

Салида вздрогнул:

— Фернандо Викторио Агилар, ты хочешь сказать, что каждый раз приносишь что-нибудь в мой дом?!

— А разве не так? — улыбнулся Агилар. — Разве вы обычно не покупаете то, что я приношу?

Он жестом приказал Пепе подойти поближе и поставить коробку на низкий стеклянный столик рядом с письменным столом хозяина.

Карлос Баррехо стоял неподвижно, стараясь выглядеть подтянутым в своей полицейской форме. Агилар тем временем окинул взглядом комнату. Знакомая ему коллекция картин в тяжелых позолоченных рамах; скульптурки майя на подставках, несколько образчиков искусства доколумбового периода бережно помещены в стеклянные витрины, остальные расставлены на подоконниках. Салида выставлял напоказ только те изделия, в подлинности которых был уверен. Остальные в ожидании экспертизы лежали в ящиках. В дальнем углу комнаты разместилось несколько бочонков с дорогими винами.

Агилар знал, что, несмотря на богатство и влияние, Ксавье Салида был человеком малограмотным. Будучи уже взрослым, он нанял учителя, чтобы научиться читать. Бедняга учитель старался изо всех сил, но мало преуспел и однажды, выпив слишком много текилы в местном кабачке, позволил себе безобидную шутку над безграмотностью своего ученика... Салида тут же уволил его.

Два других наставника добились немногим больше, сумев вложить в голову великовозрастного ученика лишь поверхностное представление о живописи и музыке. С тех пор Салида, по его собственному мнению, превратился в тонкого ценителя прекрасного. Он ел дорогую севрюжью икру. Пил превосходные вина. И считал, что со знанием дела коллекционирует дорогие произведения искусства.

Прекрасно зная обо всем этом, Агилар пользовался невежеством хозяина виллы, не забывая непрестанно ему льстить. Со своей стороны, Ксавье Салида предпочитал скупать у Агилара все, что бы тот ни предложил, чем сознаваться в своей неосведомленности.

Но на этот раз Агилар был уверен, что принесенная им вещь действительно совершенно особенная.

Пепе отошел от стеклянного столика, вытер вспотевшие ладони о штаны и застыл в ожидании дальнейших указаний.

Салида жестом указал на коробку:

— Ну, продолжай, Фернандо, открой ее, дай посмотреть, что ты нашел на этот раз.

Агилар нетерпеливо обернулся к Пепе и дал тому знак. Молодой индеец сорвал упаковочную бумагу и вцепился в заколоченную крышку ящика. Он с усилием дергал ее, пока гвозди не выскочили и крышка не слетела. Тогда он смахнул бумагу со стола и осторожно извлек загадочный предмет.

Наркобарон затаил дыхание и, очарованный, шагнул вперед. Агилар почувствовал, как забилось сердце: это была именно та реакция, на которую он рассчитывал.

Перед ними стоял абсолютно прозрачный куб высотой чуть больше фута. Подобно оптической призме он излучал мерцание, переливаясь всеми цветами радуги, словно его грани были усыпаны мельчайшими бриллиантами. Внутри куба виднелось множество странных и непонятных деталей, соединенных между собой искрящимися прозрачными волоконцами. Агилар считал, что находка похожа на самые сложные в мире часы, с механизмом, изготовленным из хрусталя. В прозрачных стенках были просверлены крохотные отверстия. По углам и в центре, ближе к верхней плоскости, мелькали подвижные квадратики. На поверхности куба кое-где была нанесена гравировка, напоминающая непонятные письмена майя.

— Что это? — спросил Салида, дотронувшись до одной из граней и сразу отдернув пальцы, словно обжегшись. — Он холодный, даже в такую жару он холодный!

— Это великая загадка, эччеленца, — сказал Агилар. — Я ничего подобного не видел, несмотря на мой археологический опыт.

По правде говоря, его археологический стаж был весьма невелик, но то, что с такими вещами ему не приходилось сталкиваться прежде, прозвучало совершенно искренне. Впрочем, в Кситаклане всегда находили множество необычных вещей.

Хозяин виллы склонился над странным предметом, полуоткрыв рот: он был в восторге.

— Откуда это?

И Агилар понял, что очень выгодная сделка сладится.

— Эта древность с новых тайных раскопок в Кситаклане, с нетронутого пока участка. Мы сейчас как раз выносим оттуда самые ценные находки. Но, боюсь, очень скоро там появится новая археологическая экспедиция и заберет немало интересного.

Лицо Карлоса Баррехо помрачнело.

— Они хотят украсть ценности из Кинтана-Роо, — сказал он, — и увезти в свою страну.

Агилар надеялся, что шеф полиции не очень возбужден, иначе не избежать одной из его бесконечных политических речей.

— Да, но мы постараемся «сохранить», что возможно, пока это не случилось, — улыбаясь, вставил он. — И вы, конечно, наш самый уважаемый клиент, эччеленца Салида.

Фернандо Викторио Агилар вырос на улицах Мериды. Его мать была проституткой. Она с детства научила сына воровать, так что жили они в относительном достатке. Однако он быстро понял, что кража есть кража, не важно, что ты украл — фрукты на рынке или «мерседесбенц». Однажды ночью, выпив бутылку мескаля, Агилар со смехом сказал:

— Если вы хотите украсть манго, лучше украдите у туриста часы с бриллиантами, продайте их и всю жизнь ешьте манго. Кража есть кража, так почему бы не взять самое лучшее.

Тем не менее, несмотря на свое воспитание, воруя, он испытывал в душе некоторый дискомфорт. Видя горе или страх на лицах владельцев магазинов и туристов, которых обкрадывал, он порой ощущал приступы раскаяния.

Однако, к своему восторгу, он вскоре обнаружил, что кража древних ценностей — совершенно другое дело. Здесь ты воруешь у давно умерших людей, поэтому им нет до этого дела. На этом можно заработать гораздо больше денег, и риск не так велик, как если «щипать» туристов в Канкуне.

Конечно, этому суждено продолжаться до тех пор, пока сующие во все свои длинные носы американские археологи не окажутся не в том месте и не в тот час.

Решив приобрести реликвию, Ксавье Салида назвал начальную цену, которая уже была гораздо выше, чем рассчитывал получить Агилар. Карлос Баррехо едва сдерживал себя, чтобы сразу не согласиться, но Агилар ухитрился увеличить названную наркобароном сумму процентов на пятнадцать.

К моменту, когда охранник отправился провожать посетителей к припаркованному во дворе виллы полицейскому джипу, все были довольны. Наркобарон буквально расцвел от нового приобретения, а Агилар и Баррехо остались более чем удовлетворены достигнутой ценой сделки.

Шеф полиции вывел машину из массивных ворот и стал спускаться по усыпанной гравием дороге. У подножия холма Агилар приказал Баррехо остановить машину и повернулся к юноше-индейцу:

— Ты выйдешь сейчас, Пепе. Я хочу, чтобы ты сразу вернулся в Кситаклан. Ты видел, сколько денег мы получили за одну эту штуку. Там их гораздо больше. Я никому, кроме тебя, не доверяю. Посмотри, может быть, найдешь в руинах еще что-нибудь ценное. И поспеши.

Пепе неловко выбрался через заднюю дверцу. Затем пошарил под сиденьем и вытащил старое мачете, которое постоянно носил с собой.

— Но... вы хотите, чтобы я пошел сейчас?

Агилар нахмурился:

— Ты можешь дойти туда за два дня, а если поторопишься, за день. Прогуляйся немного, но торопись. Или ты боишься? Но ты же получил свою часть, а это большие деньги.

Пепе вздохнул и утвердительно закивал:

— Я сделаю, как вы велите, сеньор Агилар.

— Ты знаешь, где меня найти. — Агилар сунул руку в карман и достал пачку купюр. — Вот, это для твоей семьи. Тебе причитается гораздо больше, но не стоит таскать их с собой, когда ты один. Передай своей дорогой матушке и сестрам от меня привет. Возможно, я скоро к ним заеду.

Пепе, заикаясь, пробормотал, что сделает все как надо, и побрел в сторону от дороги, в джунгли. Агилар распустил стянутые в хвост волосы, позволив им свободно спадать на спину, и поплотнее натянул шляпу. Он развалился на сиденье, безмерно довольный собой. Пожалуй, в качестве награды можно еще разок побриться.

— Давай в Канкун, — обратился он к Баррехо. — Потратим слегка денежки, а?

— Трать свою долю, — ухмыльнувшись, ответил Карлос.

— Именно это я и собираюсь сделать, — ответил Агилар, и они стали спускаться дальше по грязной дороге между двумя рядами толстых деревьев.

5

Музей естественной истории.
Вашингтон, округ Колумбия.
Среда, 10.49

Каменный ягуар неподвижно смотрел на посетителей глазами из полированного зеленого нефрита. Острые кремниевые клыки торчали из пасти, алая краска на стилизованном туловище, покрытом извилистой резьбой, за прошедшие века облупилась и выцвела. Висящая рядом табличка сообщала, что эта статуя — реликтовая находка из гробницы короля майя в городе Ушмаль.

— Напоминает соседского кота, — сказал Малдер.

Группа третьеклассников в сопровождении суетливой учительницы пересекала зал сокровищ доколумбового периода, с криком играя в салочки, несмотря на все усилия их наставницы заставить детей вести себя тихо и чинно.

Манекены в ярких головных уборах из перьев

и в ритуальных набедренных повязках стояли на фоне расписанных задников, с нарисованными на них ступенчатыми пирамидами и непроходимыми джунглями. Диорама на противоположной стене изображала испанских конкистадоров, приплывших с востока. В своих блестящих серебряных доспехах они походили на астронавтов.

Из динамиков, установленных над диорамами, разносились оглушительный треск барабанного боя, жалобы флейты и речитатив индейцев; во всю эту какофонию вплетались голоса диких обитателей джунглей. Скрытые фонари имитировали закат.

В середине зала была установлена изукрашенная резьбой известняковая стела, или ее гипсовая копия, почти упиравшаяся в потолок. Яркий свет прожекторов у подножия стелы высвечивал рельефные изображения календарных и астрономических символов майя.

Скалли наклонилась, чтобы рассмотреть в стеклянной витрине странную каменную скульптуру — скрюченную, похожую на пугало статуэтку с длинным подбородком и крючковатым носом, несущую на голове, как оказалось, жаровню с углями. Скалли взглянула на часы, затем вопросительно посмотрела на партнера.

— Археологи имеют дело с веками, — сказал Малдер. — Не надейся, что эти парни заметят, если опоздают на пять минут.

В этот момент, как по сигналу, за их спинами

появился худощавый старик в промокшей одежде и вгляделся через плечо Скалли в носатую фигурку.

— О, это Ксиутекутли, бог огня индейцев майя. Один из древнейших богов Нового Света.

Взгляд его широко расставленных поразительно голубых глаз, чем-то напоминающий совиный, выражал неподдельный интерес. Очки для чтения с узенькими стеклами болтались на цепочке, надетой на шею. Он продолжил свою неожиданную лекцию:

— Этот парень был властелином в давние времена. Празднества в его честь становились особенно значительными на пике пятидесятидвухлетнего цикла. В эту ночь майя должны были гасить огни во всем городе, и он становился темным и холодным. Затем верховный жрец зажигал новый огонь. — Брови старика поднялись вверх, тонкие губы искривились в саркастической улыбке. — Этот особый огонь разжигался на груди пленников. Жертву привязывали к алтарю, и пламя, разгораясь, пожирало ее еще бьющееся сердце. Майя верили, что эта церемония заставляет время двигаться вперед.

— Конечно, — сказала Скалли.

Человек протянул руку:

— Вы, должно быть, агенты ФБР. А я — Владимир Рубикон. Извините, я немного запоздал.

Малдер пожал протянутую руку. Ответное пожатие старого археолога было сильным и

крепким, словно он постоянно ворочал каменные блоки.

— Я — специальный агент Фокс Малдер, а
это мой партнер Дана Скалли.

Пока Скалли пожимала руку старика, Малдер
внимательно изучал его внешность. Владимир
Рубикон носил бородку-эспаньолку, подчерки-
вающую узкий подбородок. Лицо обрамляли
спутанные пряди пегих желтовато-коричневых
волос. Намокнув, они выглядели так, словно их
облили кофе.

— Благодарю за то, что встретились со
мной. — Ученый нервничал, видимо, не зная,
как подойти к волнующему его вопросу. —
Если вы поможете найти мою дочь Кассандру
и вернуть ее, я навсегда останусь вашим долж-
ником.

— Постараемся сделать все возможное, мистер Рубикон, — сказала Скалли.

Рубикон выглядел усталым и печальным. Как
будто избегая разговора, который его страшил,
он повел рукой, обводя зал:

— Днем я помогаю музею, так как мои обязанности на курсе в этом семестре не слишком
обременительны. На самом деле у меня не так
уж много свободного времени, но очень хочется
пробудить у новых студентов интерес к археологии. Это единственное средство, которым мы,
старые землекопы, можем поддержать нашу
профессию.

Старик заставил себя улыбнуться, и у Малдера возникло ощущение, что это его привычная шутка.

— Нам нужно получить как можно больше информации о вашей дочери, доктор Рубикон, — сказал Малдер. — Можете нам рассказать, что именно она открыла в Кситаклане, что конкретно искала?

— Да, конечно. Гм, посмотрим... — Глаза Рубикона снова широко раскрылись. — Кситаклан — это величественный город, судя по фотографиям, которые прислала Кассандра. Десятки находок доколумбового периода. Хотел бы я там побывать.

— Если это место оказалось столь важным, доктор Рубикон, почему туда направили такую маленькую экспедицию? — спросила Скалли. — Экспедиция от Университета в Сан-Диего вряд ли может быть хорошо оснащенной и щедро финансируемой.

Рубикон вздохнул:

— Агент Скалли, вы переоцениваете место, занимаемое университетами в раскрытии тайн прошлого. Вероятно, вам будет интересно узнать, что на Юкатане, в Гватемале и Гондурасе есть тысяча важных районов, до сих пор не подвергавшихся раскопкам. Эта область земли является центром культуры майя, где были построены самые величественные в Новом Свете города. Юкатан можно считать Древней Грецией, только едва исследованной. В Греции земля эксплуатировалась в течение тысячелетий, материалы давно изучены. В Центральной Америке, напротив, повсеместно царят джунгли. Непроходимые влажные леса покрывают развалины старых городов, словно попоной, скрывая их от человека.

Малдер кашлянул:

— Доктор Рубикон, как я понимаю, у индейцев в этих местах существуют странные легенды и поверья, связанные со старыми заброшенными городами. Я слышал о проклятиях майя и о предупреждении людям. Как вы думаете, могла ваша дочь найти что-нибудь... необычное? Что-то, что ввергло ее в беду? Вам известно о многочисленных случаях исчезновения людей на Юкатане именно в этих районах?

Скалли незаметно вздохнула и решила воздержаться от замечаний, но Малдер смотрел на профессора с напряженным интересом.

Владимир Рубикон задорно выставил вперед бородку:

— Я в курсе этих событий, и меня, естественно, тревожит, что мою Кассандру может постигнуть такая ужасная участь. Я видел много удивительного в этом мире, агент Малдер, но более склонен предположить, что Кассандра пошла на конфликт с бандой, занимающейся похищением и продажей древних изделий на черном рынке. Поскольку моя дочь и ее партия занимались раскопками в нетронутой до этого археологами местности, думаю, это должно было, словно паразитов, привлечь темных дельцов. — Он почесал бородку и взглянул на Малдера с видом победителя. — Я больше боюсь людей с оружием, чем мифов.

Неподалеку от диорамы с конкистадорами один из школьников, нажав кнопку пожарной тревоги, распахнул дверь с табличкой «Выход в случае пожара». Учительница поспешно потащила сопротивлявшегося мальчишку прочь, но сирена уже взвыла на весь музей. Остальные дети, как цыплята, испуганно столпились вокруг учительницы. Ворвался дежурный охранник.

— Иногда мне кажется, что старому археологу было бы спокойнее снова работать в поле, — сказал Владимир Рубикон, поигрывая висящими на шее очками. Он неловко улыбнулся сначала Скалли, потом Малдеру. — Итак, когда мы выезжаем? Когда прибудем в Кситаклан? Мне не терпится отыскать дочь.

— Мы? — спросила Скалли.

Малдер положил руку ей на плечо:

— Я уже все выяснил, Скалли. Он прекрасно знает эту географическую местность и является экспертом в области, в которой работала его дочь. Он знает руины майя так же хорошо, как любой гид, какого только мы сможем найти.

— У меня есть средства, и я оплачу свою поездку. — Ярко-голубые глаза Рубикона выражали отчаяние. — Вы можете себе представить, что я чувствую с тех пор, как Кассандра исчезла... не зная, жива ли она и где находится?

Малдер и Скалли переглянулись. Неожиданно до Даны дошло, почему ее партнер так сочувствует старику в его поисках пропавшей дочери. Много лет назад Малдер тоже потерял очень близкого человека...

— Да, — произнес Малдер, судорожно сглотнув. — Вы можете мне не верить, но я очень хорошо понимаю, что́ вам приходится переживать.

6

Международный аэропорт Майами.
Флорида.
Четверг, 13.49

Владимир Рубикон любезно предложил за-
нять место между Малдером и Скалли, несколько раз нервно повторив, что это его нисколько
не обеспокоит и совсем не стеснит. Будучи весьма долговязым, он тем не менее как-то очень
ловко поместился в узком кресле. Малдер подумал, что за свою долгую карьеру археологу приходилось постоянно приспосабливаться к не-
простым условиям работы в поле: протискивать-
ся ползком сквозь какие-нибудь узкие щели,
спать в тесных палатках, пережидать дожди под
деревьями.

Когда пассажиров пригласили в самолет,
Малдер, как обычно, занял место у окна, рассчитывая заметить что-нибудь интересное. Он
увидел, как к их специально зафрахтованному
самолету подошла большая группа пожилых

людей с сединами всех возможных оттенков, в давно вышедших из моды пиджаках и жакетах. Но вопреки ожиданиям никому не доставляя беспокойства, старики безмятежно рассаживались по местам, словно собрались в церкви на службу, и при этом шумели не меньше, чем дети в школьном автобусе. Отовсюду слышалось: «Привет! Меня зовут...»

Вспоминая о прошлых расследованиях, которые ему пришлось вести вместе с Даной, Малдер перегнулся через соседнее сиденье и обратился к ней:

— Скалли, кажется, мы еще не сталкивались со столь тревожной ситуацией: пенсионеры фрахтуют рейс на Канкун.

Он откинулся на спинку кресла, пристегнул ремень и приготовился к необычному путешествию.

Поднявшись в воздух, самолет покинул ясную солнечную Флориду, пролетел над островами Флорида-Кис, держа курс на юго-восток через Карибское море к горизонту, где за облаками скрывался Юкатан. Пользуясь случаем, Скалли закрыла глаза и задремала.

Малдер вспомнил их первое дело, когда им пришлось вылететь в Орегон, чтобы расследовать загадочную смерть школьников, которых, по мнению Малдера, похитили иностранцы. Во время полета их самолет вдруг накренился и потерял высоту. Сам Малдер сохранял невозмутимость и спокойствие, а вот Скалли нервно вцепилась в ручки кресла.

Зажатый между ними, Владимир Рубикон надел очки и достал блокнот. Он вписывал в него неразборчивым почерком названия местностей и имена людей, которых помнил по прежним экспедициям.

— Я довольно давно работал в Центральной Америке, но как раз с изучения культуры майя и началась моя карьера, — сказал он. — Может, мои старые связи помогут нам добраться до Кситаклана. Дело в том, что его нет ни на одной карте.

— Расскажите о вашей прежней работе, доктор Рубикон, — попросила Скалли. — Может, я тоже что-нибудь слышала о ней? Хотя, боюсь, мое знакомство с археологией не так глубоко, как хотелось бы.

Старый археолог улыбнулся и потеребил бородку.

— Ваши слова звучат музыкой для стариковских ушей, дорогая Скалли! Мои первые исследовательские интересы касались юго-востока Америки, точнее, четырехугольника, очерченного северной Аризоной, Нью-Мехико, южной Ютой и Колорадо. Жилища индейцев племени пуэбло, которые там находили, свидетельствовали о крайне интересной культуре, которая до сих пор не изучена.

Очки съехали у него с носа, и он вернул их на место.

— Подобно майя, индейцы анасази и другие обитатели скал на юго-востоке создали пышно процветающую культуру, но по необъяснимым причинам она пришла в упадок, и на месте преуспевающей цивилизации остались только призрачные скальные города пуэбло. Другие племена — синагуа, хохокам, моголлоны — вели оживленную торговлю и оставили после себя руины, которые можно увидеть во многих национальных заповедниках, особенно Меса Верде и Каньон де Челли — эти остатки селений могут рассказать о многом.

Я заработал себе славу, если можно так выразиться, во время раскопок и реконструкции индейских поселений в северной Аризоне, в районе Випатли и Кратера Сансет. Большинство туристов, едущих в эту часть страны, слышали только о Гранд-Каньоне и безразличны к другим историческим достопримечательностям, что неплохо для нас, археологов, так как у туристов обычно «липкие» руки, к которым липнут древние фрагменты и изделия.

Я был просто очарован Кратером Сансет, большим вулканом неподалеку от Флагстаффа. Этот вулкан начал извергаться зимой тысяча шестьдесят четвертого года и скорее всего стер с лица земли цивилизацию анасази, подобно Помпее. Эта культура никогда полностью не восстановилась, и когда страшная многолетняя засуха столетием позже уничтожила их урожай... словом, природа сделала свое дело. Если мне не изменяет память, кажется, это место целиком превращено в национальный заповедник, потому что какой-то голливудский продюсер хотел наполнить кратер динамитом и имитировать извержение вулкана для съемок.

Скалли опустила откидной столик, заметив бортпроводницу с картой напитков.

— Исконные американские племена после извержения вулкана были рассеяны по юго-востоку более девятисот лет назад, но, с другой стороны, он сыграл и положительную роль, засыпав вулканическим пеплом окрестности и сделав их более плодородными для сельского хозяйства, по крайней мере пока не наступала засуха.

Как только разрешили отстегнуть ремни, произошло то, чего Малдер и опасался: энергичные туристы повскакали с мест и начали пересаживаться, громко разговаривать, мелькать туда-сюда по проходу между креслами и образовали очередь в крошечный туалет.

К его ужасу, их предводительница, довольно неприятная особа, придумала не что иное, как петь хором любимые песни, и они запели, причем все на удивление хорошо знали слова «Скачек в Кейптауне» и «Лунной реки».

Владимиру Рубикону приходилось перекрикивать нестройный хор:

— Кассандра еще ребенком сопровождала меня в моих последних экспедициях. Ее мать оставила нас, когда дочке было десять лет, она не захотела жить с ненормальным, который все время роется в грязной земле в забытых Богом уголках мира, возясь с косточками и склеивая разбитое. Но Кассандра оказалась такой же одержимой, как и я, она с радостью поехала со мной. Думаю, эти первые поездки и вызвали ее желание пойти по моим стопам.

Рубикон судорожно вздохнул и снял очки.

— Я буду чувствовать себя виноватым, если с ней случилась беда. Она занималась преимущественно цивилизациями Центральной Америки, следуя к югу за ацтеками, ольмеками и тольтеками, так как они сходились в Мексике, чья культура приняла все лучшее, что было в других. Я никогда не знал, занимается ли Кассандра всем этим только из любви к делу, или стремится поразить меня и заставить гордиться ее успехами... или она просто хочет перещеголять своего старого отца. Не знаю... Надеюсь, у меня будет возможность это узнать.

Малдер мрачно нахмурился, но промолчал.

Почти час туристы продолжали представление, которое Малдер с раздражением назвал играми старых обезьян.

Старик в шапочке для гольфа занял место помощника пилота и завладел телефоном, которым пользуются летчики для переговоров друг с другом.

— Добро пожаловать в «Вива Сансет-тур»! — закричал он, оскалив зубы в широкой улыбке и коснувшись шапочки рукой. — С вами ваш веселый друг Роланд, а почему мы еще не смеемся?

Старики разразились громким смехом на весь салон. Одни выкрикивали приветственные возгласы, другие пронзительно мяукали.

— Смотри на это как на второе детство, — пробормотала Скалли.

Малдер только покачал головой.

Веселый затейник Роланд объявил, что экипаж самолета любезно разрешил им воспользоваться внутренней связью, чтобы в оставшийся час полета они смогли сыграть несколько раундов в бинго*.

Малдер поежился. Стараясь выглядеть веселыми, задерганные бортпроводницы прошли между кресел, раздавая толстые карандаши и карточки с напечатанными на них числами.

Удалой Роланд, казалось, был прирожденным организатором развлечений подобного рода. Спустя некоторое время шумная перекличка закончилась, и в салоне установилась относительная тишина, нарушаемая приглушенным жужжанием голосов пенсионеров, погруженных в игру, пока вдруг седовласая толстуха не завопила, словно второклассница, размахивая своей карточкой:

— Бинго! Бинго!

Малдер уставился в окно, откуда были видны только голубой океан и клочья белых облаков.

— Кажется, мы неподалеку от Бермудского треугольника, — тихо проговорил он, искоса

---

* Бинго — азартная игра, напоминающая лото.

взглянув на Скалли, и улыбнулся, дав понять, что шутит. Если бы Скалли сидела рядом, ему бы не избежать хорошенького тычка под ребра.

Владимир Рубикон прикончил пакетик соленых сухариков, выданный бортпроводницей, допил кофе из бумажного стаканчика и кашлянул, привлекая внимание Малдера.

— Агент Малдер, — сказал он; голос его был еле слышен сквозь гвалт веселящихся старичков. — Вы, кажется, сами страдаете от неутешного горя. Вы потеряли кого-то, кого любили больше всех? Вас еще гнетет эта боль...

Малдер хотел отшутиться, но понял, что не сможет, и серьезно посмотрел в голубые глаза Рубикона:

— Да, я потерял одного человека.

Он не стал продолжать. Рубикон положил сильную широкую ладонь ему на плечо. К чести профессора, он не стал дальше бередить рану Малдера.

Малдеру не хотелось вспоминать об ослепительной вспышке, о том, как его сестра взмыла в воздух и ее стало словно ветром относить от окна, как он увидел тонкий веретенообразный силуэт неземного существа, манившего его из светящегося дверного проема...

Когда-то Малдер сам похоронил эти воспоминания в глубине своего сознания и теперь мог восстановить их только под воздействием регрессивного гипноза. Скалли считала, что эти события уже должны были стереться из его памяти и занятия гипнозом только усиливают образы, в которые он хотел верить.

Но Малдер должен был доверять своей памяти. Он страстно верил, что Саманта не умерла и когда-нибудь он найдет ее.

— Неизвестно, что хуже, — произнес Рубикон, прервав его печальные воспоминания. — Бесконечно ждать и ждать, ничего не зная, не имея никакой определенности!

Сзади еще кто-то воскликнул: «Бинго!» — и бойкий Роланд занялся дотошным подсчетом номеров. Наверное, победитель получал бесплатный тропический напиток на курорте в Канкуне.

Малдеру ужасно хотелось, чтобы в аэропорту всю группу сразу же забрал автобус и увез в отель, подальше от того, где для него, Скалли и Рубикона заказаны номера.

Наконец самолет начал плавный спуск, и Малдер увидел вдалеке береговую линию полуострова Юкатан, который изломом вдавался в лазурные воды Карибского моря.

— По крайней мере вы можете сделать хоть что-нибудь для розыска дочери, — обратился он к Рубикону. — У вас есть с чего начинать.

Рубикон кивнул и засунул в карман свой блокнот.

— Интересно снова путешествовать — побывать везде и всюду, я имею в виду, — сказал он. — С тех пор как я в последний раз ездил на раскопки, прошло много времени. Я думал, дни

моего восхищения Индианой Джонсом давно
миновали. — Он грустно покачал головой. — Я
слишком много времени потратил на преподавание, на лекции о находках, которые кто-то
другой отыскивал и приносил в музеи. Я превратился просто в старый тюфяк, который жил
своей прошлой славой и бесцельно проводил
жизнь, — с язвительной насмешкой над собой
произнес он.

Скалли повернулась к нему:

— Мы сделаем все, что в наших силах, чтобы
найти вашу дочь, доктор Рубикон. Мы узнаем
правду.

7

*Джунгли Юкатана
в районе Кситаклана.
Четверг, вечер*

Ночные джунгли, в дебрях которых раздавались тысячи разных звуков и мелькали тысячи таинственных теней, таили неясную угрозу. Большой серебряный серп луны лил свой жидкий свет, едва проникая в гущу сплетенных ветвей. Пепе Канделария казалось, что его занесло в другую вселенную.

Он остановился поправить ношу. Звезды над головой были прекрасно видны, но утоптанная трава едва различима под ногами. Впрочем, он и без тропы хорошо знал дорогу в Кситаклан, унаследовав от предков-индейцев врожденное чувство ориентации.

Колючий кустарник цеплялся шипами за штаны и рукава, задерживая Пепе, словно отчаявшиеся получить милостыню нищие. Он срубал его отцовским мачете и двигался дальше.

Парня переполняло чувство гордости за доверие, которое оказывал ему его друг и хозяин Фернандо Викторио Агилар. Пепе был самым доверенным гидом и помощником Фернандо. Правда, такое исключительное доверие зачастую означало лишь, что Пепе приходилось выполнять опасные задания, не рассчитывая на такую роскошь, как помощь. Порой ему казалось, что такую работу трудно сделать одному, что Фернандо перехитрил его, заставляя идти в одиночку так далеко, но Пепе не мог отказаться. Фернандо очень хорошо ему платил.

Когда умер отец Пепе, у него на руках остались старуха мать и четыре сестры. На смертном одре, измученный жаром, который жег его, как раскаленная лава, отец взял с сына слово, что тот будет заботиться о семье.

И теперь мать и сестры требовали от него исполнения клятвы...

Он поднырнул под низко растущие корявые ветви. С задетой им ветки на плечо ему упало какое-то маленькое существо с большим количеством крохотных ножек. Пепе брезгливо, не разглядывая, смахнул его с себя. В джунглях насекомые часто оказываются ядовитыми или по меньшей мере очень больно кусаются.

Луна продолжала подниматься, но ее свет затеняли быстро летящие по небу большие облака. Если он будет идти быстро и ему повезет, то сможет возвратиться домой еще до рассвета.

Пепе, ведомый инстинктом, шел сквозь лес

по старым, не нанесенным ни на одну карту тропинкам, которыми издавна пользовались потомки майя и тольтеков, создавших в этих краях могущественную империю, которую потом отняли испанцы.

К несчастью, хоженые тропы вели в обход священных окрестностей Кситаклана, и Пепе приходилось прорубать себе дорогу. Он решил остановиться, чтобы заточить притупившееся острие мачете.

Его отец умер от заражения крови после укуса огненно-красного скорпиона. Патер Рональд из миссии объяснил его смерть волей Божией, а заплаканная мать заявила, что это проклятие Тлацолтеотль, богини запретной любви, знак того, что муж не был ей верен.

Из-за этого мать Пепе отказалась остаться в комнате с умершим отцом и потом потребовала, чтобы его похоронили под грязным полом в их доме, как того требовал обычай. После этого семье не оставалось иного выхода, как покинуть прежнее жилище, и Пепе пришлось доставать деньги на новый дом.

Постройка нового жилья была первой финансовой ношей, которую он взвалил на себя. Теперь семья требовала, чтобы он полностью взял на себя все заботы о домочадцах во искупление позора отца и во исполнение обещания, данного при гробе умершего.

И он делал то, что был должен, но это доставалось нелегко.

Деньги, которые он получал от Фернандо Викторио Агилара, давали им пищу, их хватало на ремонт дома и даже на покупку попугая для маленькой сестренки Кармен. Она обожала птицу и научила ее произносить имя брата, что приводило того в восторг, за исключением тех случаев, когда попугай вдруг посреди ночи начинал выкрикивать: «Пепе! Пепе!»

Сухие листья пальмы зашуршали над головой индейца, как трещотка гремучей змеи. Сейчас, когда он сражался с висячими лианами, ему страстно хотелось услышать крик попугая, сонное дыхание спящей сестры и густой храп матери. Но он должен прийти в Кситаклан первым, чтобы доставить удовольствие своему другу Фернандо.

Он очень хорошо понял задание. Раз эччеленца Ксавье Салида интересуется и хочет покупать эти древние диковинки, Фернандо должен получить много находок из руин, и ему нужна помощь Пепе, чтобы иметь преимущество во времени перед другими искателями сокровищ.

Древний город опустел, американские археологи уже ушли. Он был особенно рад тому, что иностранцы не стали дольше оставаться в руинах. Фернандо не мог позволить пришлым чужеземцам унести его сокровища, тогда как Пепе просто не хотел, чтобы они трогали ценные предметы, заносили их в каталог, анализируя как любопытные остатки древней цивилизации.

По крайней мере клиенты Фернандо платят за сокровища ту цену, которую они стоят.

Без помощи Фернандо семья Пепе, конечно, голодала бы. Его сестры вынуждены были бы работать проститутками на улицах Мериды, даже маленькая Кармен. Он сам стал бы рабом на марихуановых плантациях Ксавье Салида, или Питера Гроуба, или еще какого-нибудь наркобарона.

Поиски ценных вещиц майя в давно покинутых руинах оказались почетным и выгодным делом.

Мать Пепе обожала Фернандо, заискивала перед ним, хвалила запах его одеколона и шляпу из шкуры оцелота. Она не раз повторяла, что помощь Фернандо пришла к ее сыну как дар богов, или Бога, в зависимости от того, думала ли она в этот момент о старых верованиях или о католической религии. Пепе не выражал неудовольствия — он должен ценить такую удачу, кто бы ни послал ее.

Когда по воскресеньям они собирались всей деревней в церкви на мессу, Пепе бывало интересно слушать причудливые рассказы патера Рональда из Библии, но библейские предания казались ему не совместимыми с жизнью, которую они вели здесь, в джунглях. Поющие ангелы и святые в белых одеждах могут казаться прекрасными богатым людям, посещающим церкви с кондиционерами, но в первобытном мире непроходимых джунглей более древние, более примитивные верования внушают больше доверия.

Особенно в такой момент, как сейчас.

Наверху обломился большой сук и с громким шумом упал на землю. Листья, вздрагивая, шелестели наверху, словно кто-то пробирался по верхушкам деревьев... змея, обезьяна, ягуар?

Пепе пересек узкий ручей, помня его место на мысленной карте местности, точно зная, где он находится и сколько осталось до цели. Кситаклан лежал прямо впереди.

В густых ароматных зарослях гибискуса на берегу ручья что-то зашуршало и тяжело плюхнулось в воду. Он узнал блеснувшие в темноте глаза рептилии, обтекаемую форму тела ночного охотника-каймана — крупного и голодного, судя по высоким волнам, которые стрелами расступились перед ним. Пепе торопливо выбрался из тины и вскарабкался на берег, скрывшись в кустарнике подальше от кровожадного хищника.

Однако наверху он с тревогой услышал, как, с треском ломая ветви, в непроглядной тьме над землей пробиралось еще более крупное животное. Пепе замер, надеясь, что это не большая кошка, которая неожиданно спрыгнет на него и будет рвать на части мощными кривыми клыками. Пока он так стоял, настороженно вглядываясь в темноту, мимо него с визгливыми криками вдруг промчалась, цепляясь за лианы, стая разбуженных кем-то обезьян. Его сотрясала мелкая дрожь. Старая религия почитала ягуара, но ему совсем не улыбалась встреча с одним из них в ночных джунглях.

На протяжении веков католические священники делали все, чтобы вытравить из сознания коренного населения старую религию и связанные с нею обряды. Если патер Рональд обнаруживал на земле пятна крови, пролитой во время ритуального жертвоприношения, или нанесенные индейцами самим себе увечья острым лезвием ножа из обсидиана, как того требовали некоторые обряды, — будь то раны на теле или отрубленные пальцы рук или ног, — он разражался гневными укорами, угрожая грешникам адским пламенем и вечным проклятием.

Смиренно выслушивая его упреки, крестьяне робко умоляли простить их, исполняли наложенную на них епитимью... но не изменяли обычаям предков.

Пепе очень хорошо помнил, как однажды, когда его отец лежал при смерти, мать выбралась наружу из их низкой хижины. Она засунула в рот колючки растущих рядом растений, а потом далеко высунула язык, с которого стекала на землю яркая свежая кровь, как источник живой силы, которую мать жертвовала богам ради выздоровления мужа.

Однако жертва не подействовала. Пепе думал: может, старые боги требовали больше крови, чем мать отдала.

В прошедшие золотые времена боги майя

упивались кровью растерзанных у стен великих священных храмов пленников или сердцами, вырезанными у добровольных жертв.

И от всей этой славы остались только старые развалины и поделки, сделанные умельцами тех далеких времен. Может, в конце концов боги устали от крови...

Еще целый час Пепе пробирался по ночным джунглям и наконец оказался в Кситаклане.

Раздвинув широкие гладкие листья бананового дерева, он разглядывал залитые ярким лунным светом развалины храмов, остатки стен со скульптурными изображениями крючконосого бога дождя Чака, с бесчисленно повторяющимся мотивом Пернатого Змея, порою совсем скрытого мхом, высокую пирамиду Кукулькана, чьи резкие контуры были смягчены буйно разросшимся растительным покровом.

Здесь недавно работали археологи. По их указанию были срублены самые толстые деревья, мешавшие очистить землю от густого кустарника и векового слоя перепревших трав и листьев. После них на земле остались пни и свежие раны рвов.

Партия покинула эти места всего несколько дней назад, но джунгли уже стали вновь завоевывать свою территорию.

На центральной площади Кситаклана высилась ступенчатая пирамида. Большая часть ступеней, сложенных из громадных известняковых блоков, была разрушена непобедимой силой оплетавших их корней и лиан. Но на самом верху пирамиды оставался нетронутым храм Кукулькана, бога мудрости, с охранявшими его скульптурами пернатых змеев.

Пепе должен был проникнуть в пирамиду, обшарить все узкие ходы и найти новые ниши со спрятанными в них нефритовыми изделиями, уцелевшими вазами и другой посудой, с расписными изразцами. Фернандо Агилар сочинит фантастические небылицы о найденных Пепе вещах, чтобы повысить их цену. Покупатели почти никогда не отказывались от приобретения сокровищ, за которые Пепе получал свою долю вознаграждения.

Он начал осторожно продвигаться к освещенной луной площади и вдруг замер, заметив какие-то смутные тени, неслышно скользившие вниз по ступеням пирамиды. Он продолжал стоять в испуге, тогда как тени продолжали двигаться... к нему.

В кронах деревьев снова возник громкий шорох. Закачались высокие перистые листья папоротника, словно какое-то крупное животное пробиралось в густом кустарнике.

Настороженно сузившиеся глаза Пепе бегали по сторонам. Стерев со лба ледяной пот, он достал сверкнувшее изогнутым лезвием отцовское мачете, готовый отразить атаку ягуара или дикого кабана. Все его чувства были настороже, он едва переводил дыхание и еще на шаг удалился от деревьев, оглядываясь в опаске, чтобы какой-нибудь хищник не прыгнул на него сверху.

Луна спряталась за набежавшее облако, лишая Пепе своего слабого, но ободряющего света. Индеец замер, прислушиваясь, и джунгли словно ожили, наполнились шумом передвигающихся в них существ. В сгустившейся тьме он разглядел на гранях пирамиды Кукулькана слабые отблески, словно она была окутана влажным светящимся дыханием древних погребений.

Прерывисто дыша, Пепе отошел подальше от свешивающихся ветвей каучукового дерева, соображая, где бы найти укрытие. Поблизости не было ни одной деревни, значит, на помощь рассчитывать нечего. Может, спрятаться внутри пирамиды или другого храма? Или на засыпанном обломками камней поле для игры в мяч, где атлеты майя устраивали свои жестокие соревнования для жаждущих веселья толп народа? Пепе не мог решить, куда ему направиться.

При дневном свете невысокие джунгли были для него достаточно безопасным местом, но не сейчас, не ночью, уж он-то знал.

Тут он увидел два длинных гибких тела, пробирающихся по грудам каменных развалин одного из храмов. Скользящее плавное движение существ перемежалось грациозными рывками, и Пепе понял: это их тени он видел на ступенчатой пирамиде. Они совсем не походили на угрожающе медлительного каймана, которого он встретил у ручья.

На краю поля стояла украшенная резьбой стела, на каменных гранях которой майя высекали календарь, заносили свидетельства своих побед. От стелы отделилась третья огромная гибкая тень и стала приближаться к нему.

Пепе взмахнул мачете, надеясь, что угроза отпугнет тварей. Напротив, они заскользили к нему еще быстрее.

Высокие легкие облака уплыли прочь, и лунный свет вновь выхватил площадь из мрака. Сердце Пепе бешено колотилось, и он начал, заикаясь, бормотать молитву на древнем языке, на котором разговаривали его отец и мать. Он увидел перед собой оживших чудовищ из мифов, которые слышал, когда был мальчиком.

Пернатые змеи приближались к нему со скоростью плывущего к жертве крокодила, но превосходя энергией и смышленостью других известных ему хищных животных. Они уверенно окружали его с трех сторон.

— Кукулькан! — завопил он в отчаянии. — Кукулькан, защити меня!

Змеи зашипели, словно вода, попавшая на огонь, и выставили длинные зубы, острые, как жертвенные ножи.

С неожиданной ясностью Пепе вдруг понял, что нужно делать.

В благоговейном страхе, превосходящем его ужас, он полоснул по руке лезвием мачете, чувствуя потоки хлынувшей горячей крови, но не испытывая боли, которой ожидал. Он расширял рану, предлагая им свою кровь как жертвоприношение, надеясь ублажить милосердного Кукулькана своим знанием древних обычаев старой религии.

Но вместо того чтобы удовлетворить их, потоки теплой свежей крови привели чудищ в бешенство. Пернатые змеи нависли над ним, оглушая свистящим шипением.

Пепе успел подумать о том, что сегодня боги получат свою жертву. Его мачете упало на землю. Пернатые змеи напали на юношу.

8

Канкун.
Мексика.
Четверг, 16.31

С некоторым удивлением Скалли заметила, что Малдер облегченно вздохнул, когда туристы-пенсионеры покинули самолет и направились к таможенному посту аэропорта в Канкуне. Там прибывших ожидали таможенники в форме, которые взяли их туристические карточки и проставили штампы в паспортах, после чего старики были допущены к площадке выдачи багажа.

Человек за стойкой поставил штамп в паспорте Малдера и протянул ему.

— Если я когда-нибудь начну носить шерстяные кальсоны, обещайте, что остановите меня прежде, чем я куплю билет на корабль любви, — попытался пошутить Рубикон. — Я не собираюсь уходить в отставку.

На туристов накинулась толпа рекламных

агентов, назойливо тыча каждому проспекты своих гостиниц и предлагая немедленно доставить багаж. Пожилые туристы, получив вещи, вышли на улицу и расселись в ожидавшем их роскошном автобусе, словно цыплята, которых загнали в клетку. Молодой человек, явно не из служащих аэропорта, помогал им с чемоданами, видимо, рассчитывая получить чаевые.

Скалли и ее спутники прошли иммиграционный контроль и таможню без осложнений, получили багаж и вышли на улицу нанять такси. Хотя ни Скалли, ни Малдер не говорили по-испански, вокруг сразу собралась толпа водителей. Из нее выступили три мексиканца и, тепло улыбаясь, предложили свою помощь. Рубикон был рад оказаться полезным членом экспедиции и использовал свои лингвистические способности, чтобы объяснить направление и поменять деньги.

Они ехали к отелю «Карибский берег» в маленьком пикапе вместе с молодоженами, которые были полностью поглощены друг другом. Водитель включил музыку и в такт металлическим звукам диско подпевал и барабанил пальцами то по рулю, то по приборному щитку.

Малдер сидел рядом со Скалли, просматривая красочные брошюры различных туров, навязанные ему в аэропорту.

— Слушай, Скалли, — сказал он. — «Добро пожаловать в Канкун, где замечательное бирюзовое Карибское море ласкает шелковые песчаные пляжи». В водах моря «вы найдете романтические коралловые рифы и удивительные затонувшие испанские галеоны». У того, кто стряпает эти описания, достаточно богатое воображение.

— Звучит привлекательно, — ответила она, глядя в окно машины на залитую ярким солнцем пышную растительность. — Во всяком случае, это лучше, чем исследовательская станция в Арктике или ферма по выращиванию цыплят в Арканзасе.

Малдер продолжал просматривать проспекты, включая карту гостиничной зоны — узкой полоски земли между Карибским морем и лагуной Ничупт. Броские заголовки заманивали: «Почти каждый номер имеет вид на океан!»

Рубикон сидел, положив вещи на костлявые колени. Он или слушал музыку, или полностью погрузился в невеселые размышления. В голубых глазах сверкнули слезы. Сердце Скалли сжалось от сочувствия.

Водитель засигналил и пробормотал какое-то испанское ругательство, когда ему удалось избежать столкновения с моторизованной двухместной коляской, имитирующей старомодный экипаж и занимающей слишком много места на шоссе, ведущем на гостиничную зону. Американец — водитель коляски рассмеялся и в ответ оглушительно прогудел картонным рожком. Шофер пикапа в присутствии пассажиров заставил себя улыбнуться и помахать рукой, хотя втихомолку снова ругнулся.

Молодая пара на заднем сиденье продолжала щебетать и обмениваться поцелуями.

Рубикон надел очки для чтения с узенькими стеклами и повернулся к Малдеру:

— Один из отелей хвастает: здесь оборудовали поле для гольфа так, что девятая лунка находится рядом с руинами небольшого храма майя. — В его удивленных глазах сквозило выражение тревоги и уныния. — Печально, что им разрешили это сделать, — сказал он. — Они эксплуатируют свою историю и культуру, унижая ее. Чего стоит только экстравагантное сооружение в голливудском стиле в Чичен-Ице. Они истратили кучу денег на «захватывающее шоу в храме» с огнями и музыкой, разноцветными прожекторами, освещающими пирамиду каждый вечер, модными «народными» плясками, которые исполняют профессиональные актеры, наряженные в шапочки с пластиковыми перьями и безвкусные, кричащие костюмы. Бой барабанов они передают по стереосистеме.

Презрительные нотки в голосе археолога удивили Скалли. Рубикон безнадежно вздохнул:

— Испанские конкистадоры были виновниками первого разрушающего вторжения на Юкатан, следом пришли туристы. — Он криво улыбнулся. — Во всяком случае, хоть какая-то часть доходов от туризма идет на финансирова-

ние восстановительных работ в археологических
зонах вродеకситаклана.

Их отель современной постройки якобы в
стиле ацтеков, с сияющими окнами, площадка-
ми для солнечных ванн под зонтами из пальмовых листьев, находился совсем рядом с пляжем.
Набегающие одна за другой волны были действительно голубого цвета, а песок — мельчайший
и белый, как обещали проспекты.

Коридорный занялся их вещами, а Малдер и
Скалли подошли к стойке администратора,
чтобы зарегистрироваться.

Рубикон нетерпеливо листал исписанный в
самолете блокнот, горя желанием сделать несколько звонков по телефону и найти гида для
экспедиции в джунгли. Он не хотел терять ни
минуты в поисках своей дочери. Старый археолог блуждающим взглядом окинул вестибюль
отеля, украшенный гипсовыми статуями ягуаров и поддельными барельефами со стилизованными иероглифами майя.

— Приветствую вас в «Карибском береге»! —
Клерк выдал им ключи и бойко начал заученную
речь о вечерних развлечениях: — Сеньорита, вы
не можете упустить шанс посетить замечательно
интересный круиз на теплоходе, где будет подан
великолепный ужин.

Скалли вежливо покачала головой:

— Нет, благодарю вас. Мы здесь по делу, а не
для отдыха.

— Но ведь нужно и отдыхать, — воскликнул клерк. — У нас прекрасный набор развлечений: охота на омаров или диско-плавание, даже приключения с настоящими карибскими пиратами.

— Благодарю вас, но мне все же придется отказаться. — Скалли взяла ключи и повернулась, чтобы уйти.

— Сеньор, но вы, конечно, не откажетесь посетить сегодня наш знаменитый лимбо, вечер с привидениями! — выкрикнул клерк им вслед.

Малдер взял Скалли под руку и прошептал:

— Это их лимбо похлеще занятий по физподготовке у нас в Бюро.

Скалли обернулась и посмотрела на старого археолога:

— Давай отложим каникулы, пока не найдем Кассандру Рубикон.

Умывшись и переодевшись, Скалли и Малдер встретились в одном из ресторанов отеля. Им показали столик, украшенный сильно пахнущими тропическими цветами, за который они и уселись. Малдер взглянул на часы, ожидая, что Рубикон присоединится к ним с минуты на минуту.

Малдер был в удобной рубашке из хлопка и широких легких брюках вместо привычного костюма с галстуком. Скалли, заметив изменения, слегка улыбнулась, приподняв брови:

— Вижу, ты уже освоил небрежный мексиканский стиль.

— Это Карибы, — ответил он. — Мне бы не хотелось, чтобы нас раскрыли, поэтому мы должны выглядеть туристами, а не агентами ФБР.

Появился официант со стаканами местного лимонного напитка «маргарита» и тарелочками с соленым печеньем в форме колечек.

Скалли углубилась в изучение списка дразнящих местных блюд: свежие омары, морской окунь в лимонном соусе, цыпленок с пряным шоколадным соусом моле. Малдер попробовал напиток, одобрительно улыбнулся и сделал еще глоток.

— Вы полюбите эти старые добрые напитки майя! — воскликнул он.

Скалли отложила меню.

— Я звонила в консульство, чтобы там отметили наш приезд. Бюро сделало все необходимые запросы и известило власти, чтобы они усилили поиски, но, видимо, этого недостаточно. Так что следующий шаг за нами.

— Как только мы будем знать, какой шаг нужно сделать, — сказал Малдер. — Думаю, мы должны нанять машину и двигаться туда, где исчезла партия. Может, мы найдем гида, который проведет нас по джунглям.

Рубикон еще не появился, а официант уже подошел к ним принять заказ. После легкой закуски в самолете Малдер успел проголодаться.

Он выбрал цыпленка, запеченного с бананами, и местный суп с лимоном и перцем чили. Скалли заказала маринованную рыбу под соусом из семян аннато, запеченную в банановых листьях, — фирменное блюдо Юкатана.

— Я просмотрела данные, которые мы имеем на остальных членов археологической партии и на других пропавших без вести американцев, — сказала она, вынимая из портфеля папку. — Никогда не знаешь, где найдешь подсказку.

Она раскрыла папку, извлекла несколько досье с фотографиями студентов университета в Сан-Диего и взяла первый лист.

— Вместе с Кассандрой Рубикон инициатором экспедиции был еще один археолог. Келли Роуэн, двадцати шести лет, рост шесть футов два дюйма, атлетического сложения, студент с прекрасной репутацией, специалист по искусству доколумбового периода. Следуя совету своего научного руководителя, он почти закончил работу, в которой прослеживает связь между основными мотивами легенд майя, ольтеков, тольтеков и ацтеков в мифологии народов Центральной Америки.

Она передала лист Малдеру, и тот принялся просматривать его.

— Джон Форбин, самый молодой среди них, двадцать три года, первый год в аспирантуре. Видимо, собирался стать архитектором и строительным инженером. Поэтому его особенно интересовали примитивные методы сооружения крупномасштабных зданий, таких как пирамиды в Центральной Америке. Возможно, Кассандра Рубикон пригласила его, чтобы он попытался разработать метод реконструкции разрушенных строений. — Она передала Малдеру и этот лист.

— Следующий — Кристофер Порт. По всем оценкам хорошо известный... эпиграфист. Тебе знаком этот термин?

— Только то, что я недавно прочитал, — ответил Малдер. — Это тот, кто специализируется на расшифровке кодов и клинописи. Большая часть письменности майя до сих пор не изучена.

— Значит, они взяли Кристофера, чтобы он переводил иероглифы, которые удастся обнаружить, — сказала Скалли и взяла последний лист. — И наконец, Кейтлин Баррон, их летописец и фотограф, страстная художница. Здесь сказано, что мисс Баррон организовала несколько небольших выставок своих акварелей в одной из студенческих художественных галерей в Сан-Диего.

Она протянула Малдеру фотографии, и он просмотрел их по очереди. Затем, еще раз посмотрев на часы, оглядел зал. Как раз в эту минуту в дверях появился Рубикон, свежевыбритый, в вечернем костюме. Большинство посетителей ресторана были в шортах, сандалиях и ярких рубашках. Малдер поднял руку, чтобы привлечь его внимание, и старый археолог устало подошел к ним.

Официант подобострастно согнулся около Рубикона, когда тот занял свободное место. Старик не заметил бокал с «маргаритой», который официант поставил справа от тарелки.

— Неудача, — произнес Рубикон. — Я позвонил по всем имеющимся у меня телефонам. Конечно, некоторые мои знакомые оказались там, где больше не требуется телефонная связь, других сейчас нет в Канкуне и Мериде. Один ушел на пенсию. Я начал его уговаривать, чтобы он в последний раз съездил со мной в экспедицию, а потом понял, что бедняга прикован к инвалидной коляске. Еще один из моих старых друзей, человек, который спас мне жизнь в экспедиции тысяча девятьсот восемьдеят первого года, убит в какой-то перестрелке, имеющей отношение к наркотикам. Я невольно заставил его жену расплакаться, когда попросил его к телефону. — Рубикон смущенно закашлялся. — Так же не повезло с тремя остальными.

— Ну что ж, — сказал Малдер. — Нам придется рассчитывать на собственную изобретательность, чтобы найти кого-нибудь, кто поведет нас к месту. Это нелегкая штука — достигнуть нужной точки.

Рубикон откинулся на спинку стула и отложил меню в сторону.

— Есть еще одна возможность, — сказал он. — В последней открытке, которую я получил от Кассандры, она упоминала человека, который им помогал. Он из местных, его зовут

Фернандо Викторио Агилар. Я нашел человека с таким именем в телефонной книге, но не застал его. Тогда я оставил для него сообщение, что мы хотели бы пригласить его в качестве проводника в джунгли. Человек, который ответил по телефону, считает, что Агилар может согласиться. Если это так, думаю, мы можем связаться с ним или сегодня вечером или завтра утром. — Он потер руки, словно массировал суставы. — Сижу вот в ресторане среди беззаботных туристов и такую чувствую беспомощность, такую вину из-за того, что даже не знаю, что приходится сейчас переносить Кассандре.

Принесли заказанные Малдером и Скалли блюда, и грустный разговор прервался. Рубикон наскоро сделал заказ, не заглядывая в меню, и отослал официанта.

Глядя на безнадежно поникшего старика, Малдер вспомнил, как исчезла Саманта. Хотя он безжалостно подшучивал над ней — так любой брат поддразнивает сестру, — но тосковал без нее и отчаянно пытался придумать способ, как ее найти. Малдер считал себя виновным в ее исчезновении, потому что в ту ночь был с ней. Если бы он что-то сделал по-другому... если бы только это случилось при ярком свете дня... Но что мог сделать двенадцатилетний мальчишка? Именно тогда у него появилась цель, которую он преследовал всю жизнь.

Он вспомнил, как мотался на велосипеде по

соседнему городку Чилмарку, штат Массачусетс, население — 650 человек, звонил во все двери подряд и спрашивал, не видел ли кто-нибудь Саманту. Хотя в душе понимал, что для увиденного в ту ночь простое объяснение не подходит.

Много дней он сочинял объявления «Потерялась...», которые описывали его сестру, просил предоставить любую информацию, как будто разыскивал пропавшую собаку. Это было в те времена, когда еще не появились доступные фотокопировальные аппараты, поэтому ему приходилось писать множество объявлений черным маркером, едкий запах которого щекотал ноздри и раздражал глаза. Он расклеивал их на витринах магазинов, на столбах и около автобусных остановок.

Но звонили только затем, чтобы выразить семье сочувствие, других звонков не было.

Мать горе просто подкосило: она стала путать слова, все забывать; отец же стойко переносил все переживания. Позже Малдер понял — отец смутно догадывался о том, что произошло в действительности.

До сих пор каждая темноволосая девочка напоминала Малдеру о Саманте. Она исчезла задолго до того, как на пакетах с молоком стали помещать фотографии потерявшихся детей. Все оказалось бесполезно: хождения по городу, стук в каждую дверь, расклейка объявлений — не возникло ни малейшей надежды, никакого следа Саманты. Но он чувствовал необходимость хоть что-то предпринять.

Сейчас в такой же ситуации оказался Владимир Рубикон, приехавший на Юкатан, обзванивающий старых коллег, настаивающий на своем участии в расследовании, проводимом агентами ФБР.

— Мы найдем ее, — убежденно сказал Малдер, наклоняясь над столом.

В его сознании снова мелькнул образ сестры, отдалявшейся от него в ослепительно ярком свете.

Малдер пристально посмотрел на Рубикона:

— Мы ее найдем.

Но он не был уверен в том, кому именно давал это обещание.

9

Курорт на побережье
Карибского моря.
Канкун.
Четверг, 21.11

Довольная изысканным ужином, сбросив наконец туфли и колготки, Скалли уютно устроилась в номере, наслаждаясь комфортом. Предвидя трудности, с которыми им придется столкнуться по дороге в Кситаклан в джунглях, она решила хорошенько отдохнуть.

Номер украшала типичная для здешних отелей картина с изображением восхода солнца над покрытым бурунами Карибским морем с силуэтами пальм на берегу. Ее лоджия выходила на ослепительно белый пляж и океан. Она вдыхала солоноватый воздух вечернего бриза, вслушивалась в сухой шелест пальмовых листьев и провожала взглядом пары, прогуливающиеся вдоль пляжа под ярким светом фонарей. Мысль о купании и отдыхе манила ее, но она напомнила себе, что они прибыли сюда по делу.

С глубоким вздохом Скалли легла в кровать, не укрываясь простыней, в надежде, что покой продлится больше двух минут.

Стук в дверь был неожиданным и громким, как пушечная канонада испанских галеонов.

Она ничего не заказывала в номер, поэтому встревожилась. Стук не прекращался.

— Слышу, иду, — голосом, далеким от энтузиазма, сказала Скалли, вставая с кровати.

Она взглянула на полуоткрытую дверь, ведущую в смежный номер Малдера, чувствуя неприятный холодок — настойчивый стук не был похож на вежливое постукивание, которым прислуга отеля обычно привлекает внимание гостя. Этот звучал уверенно и нетерпеливо.

Из предосторожности она достала из туалетного столика пистолет.

Выглянув в коридор, Скалли увидела высокого толстого человека, одетого в форму шефа полиции, который уже занес кулак, собираясь снова забарабанить в дверь.

Прежде чем она успела справиться с возмущением и заговорить, человек быстро просунул ногу в проем, чтобы помешать захлопнуть дверь перед его носом.

— Я пришел, как только узнал, что вы прибыли, — сказал он, шевеля густыми черными усами. — Вы — агент ФБР Скалли, а другой агент — Малдер.

Форменная фуражка плотно сидела на его крупной голове, козырек отбрасывал на лицо легкую тень. Широкоплечий, с могучей грудью и сильными мускулистыми руками — можно было подумать, что полицейский для тренировки таскал мешки с песком.

— Простите? — вопросительно произнесла Скалли, уверенная, что он видит ее пистолет девятого калибра. — Кто вы, сэр?

Он, игнорируя оружие, ожидал, что она пригласит его зайти в номер.

— Я шеф полиции штата Кинтана-Роо Карлос Баррехо. Сожалею, что не смог встретить вас в аэропорту. Простите мою неучтивость: дел у меня много, а людей не хватает.

— Нам сообщили, что с вами связывались, — сказала Скалли, — но вы не выразили желания помочь нашему расследованию.

Дверь смежного номера отворилась, и в комнату вошел Малдер с взъерошенными волосами и в кое-как застегнутой рубашке. Скалли заметила, что, хотя он не успел как следует справиться с рубашкой, но кобуру на плечо все-таки накинул.

— Очевидно, мы очень расстроили клерка отеля отказом посетить один из его диско-круизов? — произнес Малдер, глядя на плотного полисмена.

— Учитывая бремя ваших собственных дел, мы будем рады самостоятельно заняться нашим расследованием, — сказала Скалли, оправляя халат. — Нам уже выдали все необходимые разрешения и полномочия.

Несмотря на вежливые манеры полицейского, она почувствовала его скрытую неприязнь.

— Да, у меня нет свободных людей, — сказал Баррехо, — вы же понимаете.

Пышущее здоровьем спокойное лицо придавало ему вид этакого добродушного толстяка, но поза выдавала напряжение и настороженность. Баррехо снял фуражку и открыл взорам свои жидкие волосы, тщательно зачесанные на весьма обширную лысину.

— Боюсь, мне нечего сообщить вам об исчезнувшей экспедиции американских археологов.

— Нам не раз приходилось сотрудничать с местными властями, сеньор Баррехо, — сказала Скалли, стараясь говорить спокойно и вежливо. — В конце концов у нас общая цель — поиски наших пропавших соотечественников. Мы бы очень хотели продолжить расследование и добавить к вашим результатам свои собственные.

— Разумеется, я буду с вами сотрудничать, — произнес Баррехо с холодком в глазах. — Мексиканское отделение ФБР сообщило мне, что вы оба имеете статус легальных атташе. Ваш инспектор отдела взаимодействия и международных связей любезно попросил меня, чтобы я предоставил вам копии всей информации, которой располагаю на данный момент. Мое собственное начальство разрешило удовлетворить эту просьбу.

— Благодарю вас, сеньор Баррехо, — сказала

Скалли, все еще ощущая его недоброжелательность. — Поверьте, мы не намерены нарушать ваши полномочия. В штате Кинтана-Роо, где было совершено преступление...

— Предполагаемое преступление, — прервал ее Баррехо, не упустив случая исправить ошибку. — Предположительно совершенное, пользуясь вашим официальным термином. У нас нет данных о том, что же произошло на самом деле.

— Предположительно совершенное, — уступила Скалли. — Это ваша сфера деятельности. Мексика — независимая страна. Как агенты ФБР, коллега Малдер и я уполномочены только предложить свою помощь.

Малдер откашлялся, прочистив горло, и пригладил волосы.

— Однако мы имеем право расследовать преступления, совершенные против американских граждан, — вступил он в разговор, стоя рядом со Скалли. — У ФБР есть мандат на расследование случаев терроризма, поставок вооружения, торговли наркотиками, а также возможного похищения граждан Соединенных Штатов Америки. Пока нам не предоставили дополнительной информации о Кассандре Рубикон и ее коллегах, мы должны действовать исходя из предположения, что они оказались чьими-то заложниками.

— Заложниками! — улыбнулся Баррехо. — Простите, агент Малдер, но я думаю, гораздо вероятнее, что они просто заблудились в джунглях.

— От души надеюсь, что это именно так, — сказала Скалли, стоя между Малдером и дородным полицейским.

По коридору важно прошествовал официант, обслуживающий номера, с подносом, уставленным стаканами с разноцветными экзотическими напитками. Проходя мимо, он деликатно отвернулся, словно не замечая разговаривающих в дверях номера людей.

Баррехо вздохнул и качнул головой:

— Простите, если я недостаточно доверяю ФБР. — Брови его были похожи на черных мохнатых гусениц. — Мой бывший напарник в Мехико, Артуро Дуразо, пострадал во время одной из ваших коварных операций. Сейчас он гниет в американской тюрьме.

Скалли нахмурилась. Ей было совершенно незнакомо это имя.

— ФБР обвинило Артуро в том, что он продал в Штаты наркотиков на миллионы долларов, — продолжал Баррехо. — Его выманили за мексиканскую границу на остров Аруба в Карибском море, где и смогли законно арестовать, потому что, насколько я знаю, его бы никогда не выдали. Все это было подстроено.

Скалли откинула назад золотисто-рыжие волосы, мирно глядя на шефа полиции:

— Уверяю вас, мистер Баррехо, мы не собираемся вмешиваться во внутренние дела вашего штата. Мы только разыскиваем наших пропавших сограждан.

В эту минуту в коридоре показались два человека. Они торопливо направлялись в их сторону. В одном из них Скалли узнала Владимира Рубикона с неприглаженными пегими волосами и криво сидящими на тонком носу очками. Он суетился вокруг смуглолицего стройного человека. Длинные темные волосы незнакомца, собранные в хвост, спускались из-под широкополой шляпы из шкуры какого-то пятнистого животного. Молодой человек благоухал одеколоном.

— Агент Скалли! Догадайтесь, кого я нашел? — воскликнул Рубикон, но, заметив полицейского, резко остановился. — Извините, что-нибудь случилось?

Баррехо сурово посмотрел на подошедших. При виде человека в кожаной шляпе взгляд его смягчился.

— Сеньор Агилар, — спросил он, — это та самая экспедиция, которую вы собираетесь сопровождать?

— Совершенно верно, — отвечал Агилар. — Мы только что обо всем договорились с этим джентльменом. Условия меня вполне устраивают. Доктор Рубикон один из самых видных археологов. Карлос, вы должны быть польщены тем, что такой известный человек приехал в Кинтана-Роо! Может, вам повезет и вы прославитесь не только в связи с этими неприятными сообщениями о революционной активности и незаконной торговле оружием, а? — В голосе Агилара звучала плохо скрытая угроза.

Баррехо ощетинился, его лицо потемнело.

Скалли посмотрела на Рубикона, разрумянившегося от радостного возбуждения. Он улыбался и почти не обращал внимания на полицейского.

— Агент Скалли, агент Малдер, — сказал он, заглянув в комнату и делая приглашающий жест своему спутнику. — Позвольте представить вам Фернандо Викторио Агилара... Как вы себя называете? Экспедитор? Да, так вот, это человек, который может быстро все организовать — помощь, проводника, снаряжение, чтобы отвести нас в окрестности Кситаклана. Моя дочь действительно знала его. Он помогал ей набрать рабочих в самом начале, но не видел ее с тех пор, как она исчезла. Он может провести нас туда.

— Это, безусловно, нам поможет, — сказала Скалли и повернулась к шефу полиции, с усилием сохраняя любезный тон. — Полагаю, мистер Баррехо пришел сюда, чтобы передать нам карты местности и данные о поисках пропавших членов экспедиции — все, что ему уже удалось собрать. — Она подняла брови. — Не так ли, мистер Баррехо?

Полицейский побагровел и нахмурился, словно только что вспомнил нечто очень важное.

— Вы собираетесь в экспедицию. А у вас есть необходимое разрешение на проезд, на проведение работ? Кроме того, вы должны уплатить соответствующие налоги.

— Я как раз собирался все это оформить, — перебил его Фернандо Агилар. — Карлос, вы же знаете, на меня можно положиться. — Он поглядел на Скалли, потом на Малдера, затем снова перевел взгляд на Рубикона: — Мы должны получить разрешение, уплатить пошлины и налоги, чтобы в полиции все прошло гладко. Неприятное осложнение, но этого не избежать.

— Сколько это будет стоить? — спросила Скалли с внезапно проснувшимся подозрением.

— По-разному, — сказал Агилар. — Но тысячи американских долларов может оказаться достаточно, чтобы свободно отправиться хоть завтра утром, а?

— Завтра? Это замечательно! — воскликнул Рубикон, восторженно потирая руки.

— Тысяча долларов? — переспросил Малдер и взглянул на Скалли. — Это побольше моего дневного заработка, а, Скалли?

— Сотрудники Федерального бюро расследований не могут принимать участия во взяточничестве, — твердо произнесла она.

Рубикон снова занервничал.

— Чепуха, — раздраженно бросил он. — Вы и понятия не имеете, как делаются эти дела.

Он расстегнул куртку и, достав бумажник, отсчитал десять бумажек из толстой пачки сто-долларовых купюр и сунул их в протянутую ладонь Агилара. Затем оглянулся на агентов:

— Иногда приходится идти на уступки, а я не собираюсь тратить недели на бюрократические проволочки, пока Кассандра не найдена.

Пряча улыбку, Агилар удовлетворенно кив-нул, словно только что преодолел неожиданное препятствие.

— С вами будет приятно работать, сеньор Рубикон, — заметил он, спрятал две купюры в карман, а оставшиеся восемь протянул Баррехо, который быстро схватил их, покосившись на Малдера и Скалли.

— Этого будет достаточно для обычных го-сударственных налогов, — сказал он. — Я свя-жусь с полицейским управлением и узнаю, смогут ли они сделать для вас к утру копии документов. Ответ получите у администратора. Твердо обещать не могу, так как людей у меня не хватает.

Он повернулся и пошел прочь по кори-дору; заворачивая за угол к лифту, ловко уклонился от очередного официанта, несуще-го чаши из ананасов и кокосов, наполненные напитками.

Владимир Рубикон стоял у дверей комнаты Скалли, светясь надеждой. Фернандо Агилар надел шляпу и протянул Скалли руку.

— Очень рад был познакомиться с вами, сеньорита Скалли. — Потом кивнул Малдеру: — В ближайшие дни будем видеться чаще.

Выпустив руку Скалли, он с легким поклоном отступил назад.

— Желаю вам хорошо отдохнуть ночью и найти время принять ванну. Уверяю вас, во время экспедиции условия будут намного... менее комфортными.

10

Вилла Ксавье Салида.
Штат Кинтана-Роо.
Четверг, 22.17

В камине потрескивал огонь, пожирая душистые поленья. Аромат горящего дерева поднимался к потолку гостиной. Заложив руки за спину, Ксавье Салида стоял лицом к огню и глубоко вдыхал запах лавра и мускатного ореха, которые делали дым опьяняющим, как наркотик.

Насладившись благоуханием, он подошел к кондиционеру и повернул ручку настройки. Прохладная струя воздуха ворвалась в жарко натопленную комнату, разгоняя ставшую неприятной жару и одновременно освежая его лицо. На свете не так много вещей, которыми человек сумел бы наслаждаться одновременно, но Салида достиг такого положения, когда мог делать все, что пожелает.

Из медной, ручной работы каминной утвари

он выбрал кочергу и ударил по пылающему полену, наблюдая за взметнувшимися искрами. Салида любил играть с огнем.

Потом он отвернулся от камина и прошелся по комнате, опираясь на кочергу, словно на трость, отрабатывая движения, походку, восхищаясь собственной грацией. Изящные манеры он приобрел совсем недавно, однако надеялся, на всю оставшуюся жизнь. Образование и культуру Салида считал невыразимой роскошью, превосходящей ценностью безделушки и произведения искусства.

Салида подошел к стереосистеме и наугад поставил запись из своей коллекции лучшей классической музыки в превосходном исполнении, способном усладить самый изощренный слух. Это оказалась симфония Сальери, забытого композитора восемнадцатого столетия. Уже то, что он мало известен, должно было означать, что его произведения очень редко исполняются и потому обладают особой ценностью.

Когда дерзкие и напряженные аккорды скрипок истощили терпение мнимого любителя музыки, Салида подошел к бутылке на столе, выдернул пробку и налил себе стакан пурпурно-красного вина. Мерлот, урожая 1992 года. Какое хорошо выдержанное и мягкое вино, думал он, не то что всякие там молодые каберне, совиньон, которые ему приходилось покупать в винных погребках. Ему рассказывали, что это марка одного из лучших виноградников в Калифорнии. Он повернул бутылку перед камином так, чтобы отблески огня высвечивали богатый гранатовый цвет вина.

Салида вышел на балкон, глубоко вдыхая влажный ночной воздух. Висящий здесь гамак словно предполагал, что хозяин проводит свои дни в праздности, отдыхая и по вечерам... но последняя неделя была очень трудной. Тысячи напряженных ситуаций, и в каждой приходилось действовать решительно.

Взглянув вниз, Салида посмотрел на освещенный фонарем мощный силуэт стелы древних майя. Свет звезд мягко струился сверху на вожделенный монумент. Стелу увенчивало какое-то странное бугорчатое тело. Присмотревшись, он разглядел забравшегося туда проклятого павлина.

Глупый павлин, всего-навсего забавное яркое существо, а куда залетел...

Совсем как соперник Салида, Питер Гроуб, который любит производить дешевые эффекты, одевается броско и безвкусно, а сам — жалкое ничтожество. Салида даже сделал попытку договориться с бельгийскими эмигрантами, которые требовали реванша за уничтоженный Гроубом самолет Салида. Он предложил, чтобы его люди в отместку уничтожили один из самолетов Гроуба, но это оказалось невозможным. Гроуб усилил охрану, исключив нападение на свой частный аэродром. Таким образом, Салида ничего не оставалось, как прибегнуть к другим актам возмездия. Был выбран, возможно, не очень тонкий, но результативный способ: большой грузовик с горючими маслами «случайно» взорвался рядом с марихуановой плантацией Гроуба. Возникший пожар и едкий дым погубили большую часть урожая.

Уравняв счет, Салида не хотел доводить ситуацию до широкомасштабной войны. Он подозревал, что Гроубу просто все надоело и нужно было выпустить пар. Что сделано, то сделано.

Теперь он мог отдыхать и наслаждаться жизнью, искусством, роскошью. Подобно тому, как в симфонии Сальери возникшее с первыми звуками напряжение, постепенно усиливаясь, разрешилось мощным крещендо, Салида тоже решил достигнуть пика наслаждения и направился в гостиную к своей коллекции древних находок.

По дороге он остановился и сделал еще глоток вина. Он долго держал вино во рту, стараясь прочувствовать нюансы, о которых ему толковали: вдыхал «букет», определял «сухость» и оценивал «послевкусие».

Однако втайне Салида позволял себе иногда тосковать по тем временам, когда бездельничал с местными приятелями, пил слишком много текилы, громко хохотал и хрипло орал грубые песни. Это было давно... сейчас он выше подобных вещей. Он превратился в могущественного человека.

Салида принялся рассматривать свою изумительную коллекцию исторических ценностей доколумбового периода, которой гордился бы любой музей. Но эти вещи никогда не появятся в их пыльных витринах, потому что принадлежат одному ему.

Он любовался изящной, излучающей сияние зеленой нефритовой скульптурой, сказочным образом Пернатого Змея, верного спутника Кукулькана, маленькой каменной фигуркой самого бога мудрости. Салида коллекционировал посуду и образцы резьбы всех народов Центральной Америки: тольтеков, ольтеков, майя и ацтеков. Он проглядывал гравированные таблички, прикрепленные к каждому изделию, освежая в памяти каждое имя и каждую деталь. Это позволит ему свободно вести утонченную беседу, не боясь опростоволоситься, что могло произойти, если бы он не знал предметов из собственной коллекции.

Наконец с тем предчувствием неожиданной радости, с каким дети встречают рождественское утро, он подошел к новому приобретению — изумительному хрустальному кубу, который Фернандо Виеторио Агилар добыл для него из руин Кситаклана. Это, конечно, очень ценная вещь. Он уже знал, что выставит ее для обозрения в стеклянную витрину, но никогда не позволит ни гостям, ни слугам дотрагиваться до нее.

Поставив стакан с вином рядом с мерцающим прозрачным кубом, Салида взял его в руки,

нежно поглаживая ухоженными пальцами гладкие прохладные поверхности.

Все эти проблемы и головная боль из-за Питера Гроуба два последних дня не давали возможности порадоваться новой находке, но сейчас он может вознаградить себя. Достойно пока-
рав соперника и гладко провернув последнюю
операцию, он теперь может смотреть на необычайный кубик майя с детским ощущением чуда.
Пальцы Салида касались загадочных рисунков,
тонко выгравированных на алмазно-прочных
поверхностях. Он дотронулся до одной из граней, и вдруг предмет задвигался, словно сколь-
зил по масляной луже.

Реликвия тихо зажужжала.

Пораженный, Салида отдернул руки, ощутив,
как от сильного холода у него пощипывает кон-
чики пальцев. Однако затем он снова схватил
куб, сжимая его ладонями и чувствуя внутри
слабую вибрацию. Колебания, казалось, становились все сильнее, вбирая в себя энергию.

Салида засмеялся от удовольствия. Откуда-то
сзади донесся едва уловимый ухом чрезвычайно
тонкий пульсирующий звук, который ускользал
от него, как только он пытался на нем сконцент-
рироваться.

Вдруг во дворе завыли в унисон его призовые
доберманы, перемежая вой с истеричным лаем.
Павлины пронзительными, дребезжащими криками влились в этот дикий хор.

Салида поспешил на балкон и огляделся.

Один из охранников включил ртутную лампу и осветил ярким белым светом все пространство двора. Двое других выступили вперед с ружьями, целясь в тени. Салида обвел взглядом окруженную стенами территорию, ожидая увидеть ягуара, оцелота или еще какого-нибудь ночного хищника, отважившегося перепрыгнуть через стену, чтобы добраться до павлиньего мяса. Собаки продолжали нервно визжать, но Салида ничего не заметил.

— Silencio!* — крикнул он в ночь и вернулся в гостиную, где с удивлением увидел, что древний кристаллический куб засиял серебристым светом.

Когда он взял мерцающий предмет, жужжание превратилось в ощутимую вибрацию. Грани трепетали и пульсировали. Теперь скользкие поверхности не были пронизывающе холодны, наоборот, они излучали обжигающий жар, который струился из куба, словно растопленное горячее масло.

Салида наугад нажал на несколько резных изображений, желая остановить пугающую его неистовую активность, но вместо этого увидел, что крошечные сверкающие детали внутри стеклянного ящичка вдруг с жужжанием ожили.

Самым поразительным Салида казалось то, что он знал: это изделие создано древними майя на заре истории. Они использовали примитив-

---

* Тихо! (*исп.*)

ные приспособления, чтобы усовершенствовать свои календари... но это устройство слишком утонченное, без узнаваемых деталей, ручек настройки, кнопок...

В самом сердце таинственного механизма начал разгораться свет, холодный, но ослепляющий... как ртуть, ярко вспыхнувшая от нагревания.

Салида отступил назад, испуганный и встревоженный. Что принес ему Агилар? Что он наделал? Как это прекратить?

Во дворе собаки и павлины подняли такой жуткий вой, словно с них заживо сдирали кожу.

Свет внутри хрустального предмета стал слепящим, достигнув невероятной яркости.

Последнее, что мог увидеть Салида, был стакан с вином, подскакивавший на столе рядом с диковиной. Темно-красная жидкость неистово бурлила в кипении.

Затем свечение достигло критической точки и перескочило на другой уровень. Его интенсивность тысячекратно возросла. Раскаленный жар и энергия нахлынули на Салида столь стремительно, что у него не осталось времени заметить взрыв невероятной силы... и хотя бы секунду боли.

11

Канкун.
Пятница, 8.05

Пронизанные солнечными лучами легкие облака плыли высоко над сверкающим бирюзовым, как бассейны Беверли-Хиллз, морем. Группы туристов высыпали из отелей и прогуливались по узкой песчаной косе между океаном и лагуной в ожидании рейсовых автобусов, которые должны были доставить их в знаменитые руины майя в Чичен-Ице, Тулуме, Ксарете и Ксел-Ха.

У входа в отель «Карибский берег» мраморные фонтаны, дно которых усеивали мелкие монеты, разбрызгивали искрящиеся струи. Потрепанный джип с тремя седоками ловко прокладывал путь в потоке старых такси, фургонов и больших туристических автобусов, пока наконец не остановился возле отеля. Водитель нажал на сигнал, помахал рукой и посигналил еще раз, вызывая раздражение у служащих отеля в белой

униформе, которые стояли в открытых дверях.
Они выражали свое недовольство резкими жес-
тами и суровыми взглядами, но водитель подъ-
ехал ближе к тротуару, припарковался и снова
стал оглушительно сигналить, игнорируя их настроение.

Малдер отыскал свои вещи среди багажа туристов, толпящихся в холле, и, готовый отправиться в путь, обернулся к Скалли:

— По-моему, это за нами.

Она отодвинула чашку с кофе и взяла свой
багаж:

— Боюсь, что так.

Владимир Рубикон следовал за ними с рюк-
заком и личным снаряжением, энергичный, горящий нетерпением.

— Думаю, что многим нравится отдыхать в
Канкуне, но для меня это несколько... это не
Юкатан. Это то же самое, что поехать в Гоно-
лулу.

Среди сидящих в джипе людей Скалли узнала
Фернандо Викторио Агилара в кожаной шляпе
и с длинным хвостом черных волос. Показывая
в улыбке ослепительные зубы, он помахал им
рукой:

— Buenos dias, amigos!*

Малдер взял багаж Скалли и поместил его
вместе со своим в багажник; Рубикон втащил
свое снаряжение в набитый людьми салон. Двое
темноволосых молодых людей с бронзовой

---

* Добрый день, друзья! (исп.)

кожей, которые приехали с Агиларом, предложили помочь, но Рубикон легко справился сам и влез на заднее сиденье. За ним втиснулся Малдер.

Агилар предложил Скалли сесть впереди.

— Для вас, сеньорита, рядом со мной, где безопаснее, а? — Он обернулся к Малдеру и Рубикону: — Готовы отправиться? Взяли подходящую для джунглей одежду?

Рубикон кивнул:

— Они достаточно хорошо подготовились.

Малдер наклонился вперед:

— Я даже взял туристические ботинки и аэрозоль от насекомых.

Скалли взглянула на него:

— Вот это здорово.

Долговязый «экспедитор» был свежевыбрит, щеки и подбородок лоснились. Скалли чувствовала запах его лосьона. Он потер лицо ладонью:

— Нам придется ехать много часов, прежде чем мы доберемся до того места, где нужно будет оставить дорогу и бросить вызов джунглям.

— А кто наши новые компаньоны? — Малдер показал на двоих юношей, теснящихся вместе с ним и Рубиконом на заднем сиденье.

— Рабочие, — ответил Агилар. — Один поведет джип обратно, а другой будет сопровождать нас в джунглях. Он уже работал со мной в подобных экспедициях.

— Только один помощник? — с недоумением спросил Рубикон. — Я ожидал, что мы возьмем гораздо больше помощников и снаряжения. Я заплатил...

— Я уже нанял проводников и рабочих, которые ждут нас с оборудованием в условленном месте, сеньор, — небрежно прервал его Агилар. — Нет смысла таскать их за собой по всему Юкатану.

Агилар рывком натянул шляпу и включил двигатель. Джип с визгом рванул с места и чуть не врезался в громоздкий автобус, который как раз в этот момент начал отъезжать от входа. Скалли зажмурилась, но Агилар нажал на сигнал и бросил джип влево, заехав двумя колесами на газон, затем вырулил вправо и выкатился на дорогу перед автобусом.

Джип с трудом пробирался по оживленной гостиничной зоне, поминутно увертываясь от автобусов, объезжая неторопливых, осторожных водителей мопедов и велосипедов. Агилар вел машину в юго-западном направлении, следуя к скоростному шоссе, проложенному вдоль побережья.

Они миновали заросшие сорной травой развалины в стороне от дороги, небольшие храмы, выветренные известняковые колонны, покрытые неразборчивой росписью, без подсветки, даже такой слабой, какую использовали для дорожных знаков. Джунгли поглотили их. Скалли было странно видеть, что к свидетелям тысячелетней древности относятся столь непочтительно.

Во время поездки Агилар уделял больше внимания Скалли, чем дороге. Он несся вперед, как сумасшедший или профессиональный гонщик, покрывая за час такое расстояние, какое маршрутный автобус преодолевал за три.

Сначала они следовали вдоль побережья на юго-запад мимо знаменитых руин Тулума, затем свернули в глубь полуострова. Проехали через небольшие бедные городки с экзотическими названиями Чуниаксхе, У-Мей, Лимонес и Кафеталь с чистенькими игрушечными домиками, деревянными лачугами, газовыми заправками и супермаркетами величиной с кухню Скалли.

Скалли развернула потрепанную старую карту дорог, которая валялась на приборной доске. С упавшим сердцем она обнаружила, что в тех местах, к которым они неуклонно приближались, не существует ни шоссе, ни даже проселочных дорог. Ей хотелось надеяться, что это очень старая карта или при ее печатании были допущены ошибки.

Наконец с одной стороны шоссе потянулись низкие бесконечные джунгли. По широкой, усеянной известняковой крошкой обочине шли женщины в традиционной национальной одежде: белых хлопчатобумажных платьях с яркой вышивкой.

Путники продолжали двигаться в центр полуострова, повороты стали круче, дорога постепенно поднималась на холмы. Малдер обратил внимание на встречающиеся у дороги неболь-

шие, побеленные известкой каменные распятия
и свежие цветы под ними. Он повысил голос,
чтобы перекричать шум ветра, врывающегося в
машину сквозь неплотно закрытые окна джипа:

— Мистер Агилар, что это там? Придорож-
ные святыни?

— Нет, — рассмеялся Агилар. — Это отметки
тех мест, где чей-нибудь любимый погиб в авто-
катастрофе.

— По-моему, их слишком много, — заметила
Скалли.

— Да, — ответил Агилар, презрительно
фыркнув. — Большинство водителей не умеют
ездить.

— Это я вижу. — Скалли посмотрела ему
прямо в глаза.

Малдер наклонился к ним:

— Давайте будем повнимательнее вон у тех
поворотов, где стоят два распятия.

Слегка перекусив в маленьком придорожном
кафе, они еще два часа неслись с головокружи-
тельной скоростью. Скалли чувствовала, что ее
укачивает, особенно после той наперченной га-
дости, которую она съела в кафе. Меню в нем
было очень скудным, хотя Малдеру понрави-
лись свежие и пышные такхосы — маисовые
лепешки и тушенный со специями цыпленок.

— Далеко еще? — спросила Скалли у Агилара
в середине дня, заметив разраставшиеся серые
облака.

Он посмотрел на ветровое стекло и включил

дворники, чтобы смахнуть разбившихся о стекло мелких насекомых, потом нарочито долго молчал, всматриваясь в убегающую дорогу, наконец сообщил:

— Вот здесь, — и нажал на тормоз.

Он развернул машину и свернул с одной стороны дороги на другую, не соблюдая никаких правил движения. Сзади оглушительно засигналил автобус и чудом объехал их, вылетев на встречную полосу, по которой приближался грузовик. Агилар съехал с дороги на известняковую обочину, откуда начиналась узкая грязная тропа в джунгли. Он остановил измученную машину и выбрался наружу. Малдер хлопнул задней дверцей и принялся расхаживать рядом, разминая затекшие ноги. Скалли тоже вылезла из машины, глубоко вдыхая влажный воздух, насыщенный испарениями окружающего леса, мокрого от дождя.

Утренние легкие облачка превратились в тяжелые кучевые, готовясь вскоре стать грозовой тучей. Глядя на невысокие густые заросли, куда им предстояло углубиться, Скалли подумала, что вряд ли дождь сможет пробиться сквозь плотный покров листвы. Два молодых помощника достали багаж Скалли и Малдера и передали рюкзак Рубикону, растиравшему онемевшие колени.

Малдер смотрел на высокую траву, толстые лианы, пальмы, плющи, непроницаемую массу листьев.

— Похоже, вы обманщик! — сказал он.

Фернандо Агилар фыркнул и рассмеялся. Он потер щеки, на которых уже появилась легкая щетина.

— Послушай, приятель, если бы руины Кситаклана находились прямо у четырехполосной скоростной дороги, могли бы они оказаться нетронутой археологической зоной, а?

— Он знает место, — заметил Рубикон.

Как и обещал Агилар, из джунглей неожиданно появилась группа темнокожих черноволосых людей. Скалли заметила, что эти люди сильно отличаются от тех мексиканцев, которых она видела в Канкуне. Они были ниже ростом, очень плохо одеты и, видимо, испытывали недостаток питания — потомки древних майя, которые живут далеко от городов, в не указанных на картах селениях.

— А вот и наши трудяги-помощники, — воскликнул Агилар.

Он знаком велел индейцам взять снаряжение и рюкзаки, а сам достал из машины несколько брезентовых мешков.

— Наши палатки, — пояснил он.

Малдер стоял подбоченившись и задумчиво глядел на джунгли, втягивая носом сырой воздух. Вокруг его головы тучами вились москиты.

— Это не просто работа, Скалли, это — приключение.

Когда все вещи вынесли из машины, Агилар посигналил в знак того, что можно возвращаться. Один из индейцев молча забрался на водительское сиденье, включил зажигание и, выехав на дорогу, развернулся в обратную сторону, даже не взглянув на встречный транспорт. Выбросив клубы черных выхлопов, он умчался прочь.

— Ну что ж, пойдем, — сказал Агилар. — Вперед, навстречу приключениям.

Скалли заправила шнурки в ботинки. Вся группа двинулась в джунгли.

С трудом пробираясь через заросли непроходимого кустарника, сражаясь с цепкими лианами и колючими ветками, Скалли вскоре отчаянно захотела снова оказаться в джипе, несмотря на тряскую езду. Впереди упорно трудились индейцы, убирая с тропы самые крупные обломки камней, которые невозможно было обойти. Они кряхтели от натуги, но не жаловались. По обеим сторонам тропы вспыхивали всеми цветами радуги прекрасные гибискусы и другие тропические цветы. На каменистой почве тут и там поблескивали лужи. Опутанные колючими ветвями кустарника и цветущими травами стояли тонкие макогоновые деревца с гладким стволом и искривленными ветвями, торчащими во все стороны. Папоротники царапали Скалли ноги, окатывая целыми фонтанами брызг.

Они остановились на отдых рядом с каучуковым деревом, серый ствол которого был покрыт

многочисленными шрамами от порезов, через
которые индейцы добывали его сок. Он загусте-
вал, и его можно было жевать, поэтому местные
называли дерево «жвачкой», объяснил Рубикон.
Скалли обратила внимание, что рабочие-индей-
цы действительно постоянно что-то жевали.
Агилар разрешил рабочим остановиться только
на несколько минут, затем они устало потащи-
лись дальше, взмахивая мачете.

Скалли чувствовала себя измученной и не-
счастной. Аэрозоль совершенно не защищал от
укусов назойливых насекомых. Они начали свой
поход в джунгли во второй половине дня, поэтому могли идти не больше четырех часов, после
чего им предстояло устроить лагерь для ночлега.

Скалли спросила об этом Агилара, и он просто расхохотался, похлопав ее по спине. Ей
стало не по себе от подобной бесцеремонности.

— Я стараюсь облегчить вам длинный путь,
сеньорита, — сказал он. — За один день дойти
до Кситаклана невозможно, поэтому часть дороги мы проехали, теперь пройдем несколько
часов пешком, а потом разобьем лагерь. Ночью
хорошенько отдохнем, а завтра поднажмем еще,
а? Мы должны дойти до руин завтра к середине
дня. Скорее всего оттуда вы и начнете искать
ваших друзей. Может, у них просто сломался
передатчик.

— Может быть, — с сомнением ответила
Скалли.

Стояла невероятная жара, воздух был влажным и плотным, как в бане. Растрепанные, пропотевшие волосы липли к лицу Скалли, кожа зудела от укусов москитов.

По верхушкам деревьев с ветки на ветку, с лианы на лиану неслась стая обезьян-ревунов, создавая своими оглушительными криками и пронзительным визгом невероятный хаос. Попугаи издавали резкие гортанные звуки, колибри, окраской подобные драгоценным камням, порхали перед глазами. Но Скалли сосредоточила все внимание на дороге, стараясь избегать глубоких луж и острых осколков известняка, густо усеявших землю.

— У меня есть предложение, — сказал Малдер, вытирая пот со лба. Он выглядел таким же потным и усталым, как и она. — Давай я буду Стэнли, а ты Ливингстон*, о'кей?

Владимир Рубикон шагал вперед, не жалуясь.

— Мы идем от дороги только два часа, — сказал он, — и посмотрите, в какой глуши находимся. Теперь вы понимаете, легко ли было обнаружить эти руины на Юкатане? Когда люди покинули города, джунгли быстро поглотили их, и они остались жить только в легендах.

— Но Кситаклан был особенным городом? — поинтересовался Малдер. — Не просто еще одно поселение, где находился еще один храм?

---

* Генри Мортон Стэнли (1841—1904) — журналист, исследователь Африки; Давид Ливингстон (1813—1873) — английский исследователь Африки; предприняли совместную экспедицию на озеро Танганьика.

Рубикон прислонился к стволу красного дерева, чтобы перевести дыхание:

— Моя Кассандра тоже так думала. Он существовал с незапамятных времен, еще до золотого века, был под влиянием тольтеков.

Ослабевшая Скалли взглянула в ярко-голубые глаза археолога и с удивлением поняла, что он вовсе не выглядит несчастным в этих душных джунглях. Он казался более энергичным, чем в тот первый раз, когда они встретились с ним в музее в Вашингтоне. Было очевидно, что старый археолог чувствует себя здесь на своем месте, разыскивая дочь и попутно исследуя не внесенные в каталоги руины майя.

Когда тени в лесу стали длинными, рабочие еще раз продемонстрировали свою выносливость. После трудной работы по расчистке тропы индейцы без лишних слов принялись деловито устраивать лагерь у ручья. Для Малдера, Скалли, Рубикона и Агилара они поставили палатки, а сами, вероятно, собрались провести ночь под открытым небом.

Рубикон настойчиво расспрашивал Агилара о том, как он сопровождал Кассандру и ее группу к руинам две недели назад.

— Да, — сказал гид. — Я привел их сюда, но так как они собирались остаться здесь на несколько недель для раскопок, оставил их и вернулся в Канкун. Я цивилизованный человек, а? У меня есть чем заняться.

— Но она была в порядке, когда вы уходили? — снова спросил Рубикон.

— О да, — ответил Агилар, посверкивая глазами. — Более чем в порядке. Ей очень нравилось раскапывать руины. Она казалась восхищенной.

— Надеюсь увидеть эти руины своими глазами, — произнес Рубикон.

— Завтра увидите, — бодро сказал Агилар.

Они расселись на поваленных деревьях и камнях, чтобы съесть холодный ужин, состоящий из круглых маисовых лепешек, толстых кусков сыра и неизвестных фруктов, которые индейцы набрали в лесу. Скалли ела медленно, ощущая приятный вкус необычной пищи, счастливая уже оттого, что сидит.

Малдер отогнал от своего красного банана комара и признался Скалли, что по сравнению со вчерашним ужином в отеле эти фрукты, безусловно, лучше.

Он встал, забрался в палатку, где был сложен их багаж, и стал что-то искать в коробках.

Скалли покончила с едой и прислонилась спиной к дереву. После долгой трудной ходьбы ноги все еще дрожали.

Малдер вылез из палатки, что-то держа за спиной.

— Когда я делал предварительное расследование этого случая, то вспомнил рассказ о Тлацольтеотль. — Он взглянул на старого археолога. — Я правильно произнес? А то звучит так, словно я проглотил черепаху.

— А-а, богиня преступной любви! — рассмеялся Рубикон.

— Да, именно она, — сказал Малдер. — Так вот, парень по имени Джаппан пожелал стать любимцем богов — что-то вроде кризиса в середине жизни. Он оставил любимую жену и все имущество, чтобы стать отшельником, забрался на высокую скалу в пустыне и проводил все время в молитвах. — Малдер огляделся вокруг. — Хотя где он здесь нашел пустыню, не знаю. Естественно, боги не могли проигнорировать такой вызов и стали его соблазнять красивыми женщинами, но он не поддался искушению. Тогда перед ним появилась Тлацольтеотль, богиня преступной любви, и нанесла ему, если так можно выразиться, последний удар. Она сказала, что так восхищена его добродетелью, что хочет только его утешить. Она разговаривала с ним все время, пока он спускался со своего утеса, и внизу успешно совратила его — к огромному удовольствию других богов, которые только и ждали, когда он поскользнется.

Боги наказали Джаппана за нескромность, превратив его в скорпиона. От стыда за свою неудачу Джаппан спрятался под камень. Но боги хотели окончательно унизить его, поэтому привели его жену к этому камню, рассказали о его падении и тоже обратили ее в скорпиона.

Он задумчиво улыбнулся, все еще пряча что-то за спиной.

— Но в конце концов это всего лишь романтическая история. Жена Джаппана в облике скорпиона убежала под камень, чтобы соединиться со своим мужем, и у них появилось много-много маленьких скорпиончиков.

Владимир Рубикон, улыбаясь, смотрел на него.

— Замечательно, агент Малдер, — сказал он. — Вы могли бы работать в музее, бесплатно, как и я.

Скалли встала и стряхнула крошки с одежды.

— Интересно, Малдер, но к чему рассказывать эту легенду сейчас?

Он протянул руку, и она увидела на ней безобразные останки раздавленного огромного черного скорпиона со свисающими многочисленными ножками.

— Потому что я нашел это под твоей подушкой.

12

Джунгли Юкатана.
Суббота, раннее утро,
точное время неизвестно

Когда утром они приготовились свернуть лагерь, Малдер заметил, что его часы остановились. Первой мыслью было, что ночью их группа столкнулась с чем-то чуждым и необъяснимым. Затем он решил, что скорее всего в механизм попала какая-нибудь грязь. Малдер поменял мокрую и грязную верхнюю одежду, надев свежую рубашку, хотя знал, что в лесу она за день так же испачкается и порвется.

Скалли, сонная, с припухшими глазами, вылезла из своей палатки, отмахиваясь от комаров и москитов.

— Доброе утро, солнышко! — приветствовал ее Малдер.

— Знаешь, я бы предпочла снова работать на студии звукозаписи, — сказала она, раскинув руки и потягиваясь со сна. — По крайней мере у них сухой и чистый офис, а в холле есть автоматы для воды.

Она отхлебнула глоток из своей фляжки, потом плеснула немного воды на ладонь и умылась.

— Да, раньше я не могла оценить по-настоящему, какое это счастье — работать, когда тебе ежесекундно не досаждают мерзкие насекомые.

Фернандо Агилар стоял у дерева перед маленьким зеркалом для бритья, держа в руке бритву с раскрытым лезвием. Его шляпа висела рядом на сломанном суку. Он повернулся к ним с намыленными щеками.

— Buenos dias, amigos! — поздоровался он и вернулся к своему занятию, сбривая щетину и жмурясь от удовольствия. — Ничто так не освежает человека, как утреннее бритье, сразу чувствуешь себя готовым к новому дню, а?

Он продолжал ловко орудовать опасным лезвием, стряхивая пену в папоротник.

— Открою секрет, сеньор Малдер, я подмешиваю в мыло репеллент от насекомых и, кажется, помогает.

— Стоит попробовать, — сказал Малдер, тоже собираясь побриться. — А как потом пройти к ближайшему душу?

Агилар рассмеялся, и пронзительные звуки его громкого смеха напомнили Малдеру крикливую перебранку ревунов, разбудивших его сегодня ночью.

Рабочие быстро сложили палатки, упаковали

их в компактные брезентовые мешки, затем собрали одеяла и остальное снаряжение.

Владимир Рубикон в нетерпении расхаживал у собранных вещей и бросал в рот изюминки из маленького пакетика.

— Скоро ли отправимся? — поминутно спрашивал он.

Малдер увидел его покрасневшие глаза и понял, что ученый плохо спал, но, конечно, не из-за непривычки к походным условиям.

Агилар закончил бритье, вытер лицо цветным носовым платком, после чего сунул платок в карман, покрутил в руках шляпу из шкуры оцелота, оглядел ее со всех сторон и нахлобучил на голову.

— Вы правы, сеньор Рубикон, мы должны поторопиться на поиски вашей дочери. Путь предстоит неблизкий, но если будем держать хороший темп, доберемся до Кситаклана до наступления ночи.

Они снова углубились в джунгли. Молчаливые рабочие возглавляли группу, расчищая мачете путь; шедший следом за ними Агилар указывал дорогу.

Стая разноцветных, сверкающих крылышками бабочек при их появлении вспорхнула с прозрачной заводи у поваленного дерева и рассыпалась по кустам, словно бесчисленное множество переливающихся в солнечных лучах бриллиантов.

Малдер заметил устремленный на него хо-

лодный взгляд свисавшей с ветки змеи. Он подумал, что стоило бы побольше разузнать о
змеях, отправляясь в дикие джунгли Центральной Америки, и на всякий случай решил опа-
саться всех змей подряд.

Они шли не более часа, когда их настиг
дождь, теплый и маслянистый, пропитанный
тысячью незнакомых запахов. Лукавые говорли-
вые ручейки скатывались с вогнутых листьев
банана, смывая пауков, гусениц и других насекомых, нашедших на них свой дом. Мокрый
воздух, казалось, был готов взорваться от пере-
полнявшего его настоя ароматов освеженных
растений.

Агилар загнул поля своей кожаной шляпы
так, что струи дождя ручейком сбегали с нее. Его
длинные волосы, стянутые в хвост, стали похожи на мокрый лоскут, свисавший на спину. Он
подмигнул Малдеру:

— Вы спрашивали о душе, сеньор. Похоже,
мы его нашли, а?

Малдер взглянул на Скалли и Рубикона; их
одежда была перемазана зеленью, заляпана гря-
зью и прилипшими желтыми узорными листья-
ми папоротника.

— Неплохой камуфляж у нас получился, —
заметил он.

— Это то, к чему мы стремились? — спросила
Скалли, стряхивая с одежды лесной мусор. Вез-
десущие насекомые толпились перед ней в воздухе.

— Вот меня бы не вдохновила мысль строить храмы и пирамиды в таком месте, как это, — сказал Малдер. — Просто удивительно, что майя смогли в таких условиях создать высокоразвитую цивилизацию.

— Господи, по крайней мере в храмах внутри было сухо, — заметила Скалли, выжимая воду из волос.

Лицо Рубикона приняло задумчивое выражение.

— Человеческая изобретательность всегда поражает нас, когда мы вглядываемся в глубь истории. Замечательно было бы хоть на пять минут оказаться в той эпохе и спросить, зачем они это сделали, почему. Но это невозможно, и мы должны сами найти ключ к прошлому. Археолог должен быть похожим на детектива... гм, агента ФБР по расследованию прошлого, чтобы раскрыть тайны, в то время как преступники и их жертвы обратились в пыль за тысячи лет до рождения каждого из нас.

— Меня поразили научные и астрономические достижения майя, — сказал Малдер, — хотя бытует мнение, что их цивилизации, возможно, помогли.

— Помогли? — рассеянно спросил Рубикон, отводя от лица пальмовую ветку. — Гм, о какой помощи вы говорите?

Малдер преодолел колебание и заговорил:

— Согласно легендам майя, их боги сообщили им, что Земля — круглая. Для древних людей это необычайно точное наблюдение. Известно, что они знали о планетах Уран и Нептун, которые западные астрономы открыли только на пороге девятнадцатого столетия. Учитывая, что у них не было телескопов, они должны были обладать невероятным по остроте зрением. Они определили продолжительность земного года с точностью до одной пятитысячной и знали точный годовой цикл Венеры. Они подсчитали и другие астрономические циклы на период около шестидесяти четырех миллионов лет.

— Да, майя интересовались временем, — отозвался Рубикон, не поддаваясь на приманку. — Они были просто одержимы идеей времени.

— Малдер, — сказала Скалли, — ты же не собираешься предположить...

Он отмахнулся от москитов и продолжал:

— Если посмотреть на некоторые их рельефы, Скалли, то увидишь легко узнаваемые силуэты — люди, сидящие внутри устремленных ввысь башен, точно так же, как астронавты в кабине космического корабля. Из их транспортного средства вырываются огонь и столбы дыма.

Рубикон, забавляясь, парировал удар:

— Ах да! «Колесница богов». Интересная спекуляция. Мне, разумеется, известны подобные сказки и легенды. Некоторые из них, гм, довольно любопытны. Вот одна из самых моих любимых. Вы знаете, что Кецалькоатль, или

Кукулькан, как его называли майя, был богом
знаний и мудрости?

— Да, конечно, — ответил Малдер. — Предположительно, он спустился с звезд.

— Гм, предположительно, — подтвердил Рубикон. — Так вот, врагом Кукулькана был Тецкатлипока, всю жизнь сеявший вражду. — Рубикон
кон укрепил на носу очки, совершенно беспо-
лезные в мокром лесу. Видимо, это делалось
механически, во время изложения историй. —
Тецкатлипока явился на один важный религиозный праздник в обличье красивого мужчины и
привлек внимание людей танцами и волшебным
пением. Это так очаровало их, что большинство
стали подражать его танцам. Он привел всех на
мост, который и обрушился под их тяжестью.
Множество людей оказались глубоко под водой,
где превратились в камни.

Рубикон усмехнулся.

— В другой раз Тецкатлипока пришел с кук-
лами-марионетками, которые непостижимым
образом плясали на его ладонях. Стремясь увидеть это чудо, люди сбились в такую громадную
тесную толпу, что многие из них задохнулись.
Тогда, притворившись огорченным горем,
виной которому он оказался, Тецкатлипока потребовал, чтобы его забили камнями. Люди так
и сделали. Но когда его тело стало гнить, от него
начал исходить такой смрад, что люди умирали,
только раз вдохнув его. И тогда целая группа
отважных героев, передавая друг другу, как эс-

тафету, смердящий труп, вынесла его из города, очистив таким образом воздух.

Рубикон пожал острыми плечами.

— Так или иначе, но это все легенды, — сказал он. — Наше дело — слушать эти истории, чтобы почерпнуть из них то, что может оказаться полезным для раскрытия тайн прошлого. Я не собираюсь заставлять вас верить ни в одну из них.

— И никто другой тоже, — пробормотал Малдер и больше не стал затрагивать тему о древних астронавтах.

13

Пентагон.
Арлингтон.
Штат Виргиния.
Суббота, 13.03

Широко шагая по коридорам восточного крыла здания Пентагона, майор Виллис Джейкс по установившейся привычке обращал внимание на все приметы и повороты, чтобы найти обратную дорогу при любых обстоятельствах.

В более привычных для него условиях он приметил бы расщепленное дерево, выветренную скалу или глубокое ущелье в бесплодном высокогорье Афганистана. Ему приходилось бывать и в малярийных болотах Юго-Восточной Азии, и на территории курдов в северных горах Ирана. Но сейчас на нем вместо камуфляжной формы или комбинезона, ощетинившегося оружием и подсобным снаряжением на все случаи жизни, красовалась стесняющая движения полная военная форма. Непривычный к удобствам

цивилизации, благоухающий свежестью и одеколоном, майор чувствовал себя немного не в
своей тарелке.

Коридоры в гигантском здании штаб-квартиры Пентагона были расположены симметрично
и имели между собой столько же отличий,
сколько два бархана в пустыне, поэтому в них
можно было легко заблудиться. Вы могли выйти
из как будто знакомых уже дверей, направляясь
к стоянке машин, но оказывались в совершенно
другом крыле огромной крепости.

Но для майора Джейкса это не было непре-
одолимым препятствием. Он поглядывал на непрерывные ряды дверей, большей частью закрытых. По выходным кабинеты Пентагона за-
пираются, а гражданские служащие и военный
персонал остаются дома и занимаются обычными воскресными делами. Гражданские служащие работают от звонка до звонка в свою соро-
качасовую неделю: заполняют необходимые бумаги, носят их из кабинета в кабинет для нуж-
ных подписей и печатей и подшивают копии.

Но для боевого офицера вроде майора Вил-
лиса Джейкса гражданский распорядок ничего
не значил. Он не отмечал свои приходы и уходы.
Он работал целыми днями и ночами, если долг
обязывал его к этому. Отдыхал и брал отпуск,
когда позволяли обстоятельства. И, наверное,
по-другому бы работать не смог.

То, что его вызвали сюда в субботу для бесе-
ды на высоком уровне, означало одно: ему будет

предложено важное задание. Еще совсем недавно Джейкс находился в отдаленном уголке мира, выполняя четко поставленную задачу. Верный присяге, майор без лишних вопросов осуществлял акции, причастность к которым в случае провала его группы страна наверняка отрицала бы.

Худой и высокий, с резкими чертами чисто выбритого лица, легкий оливковый оттенок которого он унаследовал от далеких предков-египтян, майор никогда не проявлял сентиментальности.

Джейкс проследовал до конца коридора и, повернув налево, миновал несколько дверей, пока не дошел до комнаты, табличка на двери которой гласила: «Э.Дж.Пим. Изложение и запись фактов». По своему давнему опыту работы в Пентагоне майор Джейкс сомневался, приглашались ли когда-нибудь в этот кабинет другие служащие.

Он отчетливо стукнул три раза в зарешеченное стеклянное окошко в двери.

Дверь открылась изнутри, и человек в темном костюме отступил в тень. Джейкс вошел в полумрак комнаты. Его лицо оставалось невозмутимым, но разум напряженно работал, схватывая детали.

— Назовите себя, — бесцветным голосом произнес человек в тени.

— Майор Виллис Джейкс, — ответил он.

— Правильно, майор, — сказал человек.

Не выходя на свет, он протянул Джейксу серебристый ключ.

— Откройте этим ключом дверь в задней стене кабинета. Выньте ключ и закройте за собой дверь, она захлопнется сама. Остальные ждут вас, брифинг вот-вот начнется.

Майор последовал инструкции и, открыв указанную дверь, оказался в слабо освещенном конференц-зале, на одной из стен которого был укреплен белый экран.

В креслах сидели трое мужчин в костюмах и галстуках, а четвертый возился у проектора. Джейкс не встречал этих людей прежде и не был уверен, что увидится с ними еще когда-нибудь.

Человек в очках с металлической оправой и в серебристо-сером костюме обратился к Джейксу:

— Добро пожаловать, майор. Явились точно в срок. Можно предложить вам чашечку кофе? — Он указал на электрический чайник в глубине комнаты.

— Нет, сэр, — сказал Джейкс.

— У нас есть датский кофе, если вы предпочитаете, — предложил другой мужчина, полнолицый, с темно-коричневым галстуком.

— Нет, благодарю вас, — снова отказался Джейкс.

— О'кей, тогда мы можем начинать.

Молодой человек включил проектор. На экране появилось мутное пятно желтоватого цвета.

Праздное любопытство не было свойственно Джейксу как профессионалу, однако острая наблюдательность и цепкая память играли решающую роль в его работе.

Третий человек, седовласый, в белой рубашке, откинулся на спинку стула, на которой висел его коричневый пиджак.

— Покажите первый слайд, — попросил он.

— Майор Джейкс, пожалуйста, будьте внимательны, — сказал человек с темно-коричневым галстуком. — Каждая деталь может оказаться важной.

На экране появилась сделанная со спутника фотография густых джунглей, среди которых выделялась абсолютно гладкая, словно очерченная циркулем площадка, в центре которой был различим кратер с почти идеально круглым отверстием. Земля вокруг кратера была безжизненной и оплавленной, словно ее прижгли гигантской сигаретой.

— Это Мексика. Раньше здесь находилось частное ранчо. У вас появилась какая-нибудь идея о том, что там могло произойти, майор Джейкс? — спросил мужчина в сером костюме.

— Взрывная трубка? — предположил Джейкс, вспоминая один из видов осколочных бомб, которыми пользовались, расчищая в джунглях площадки для посадки вертолетов. — Или взрыв напалма?

— Ни то ни другое, — сказал седой мужчина. — Диаметр этой чаши полкилометра. Наши сейсмические датчики зарегистрировали частые и резкие колебания, а дистанционные детекторы определили значительное повышение непонятной радиоактивности.

— Вы думаете, это результат небольшого ядерного взрыва? — оживился майор.

— Нам в голову не приходит какое-либо другое объяснение, — сказал второй человек, поправляя галстук. — Это может быть только тактическое ядерное средство, такое, как атомный артиллерийский снаряд. Только он мог оставить такую воронку и подобное состояние окружающей местности. Этот тип артиллерийского оружия недавно был изобретен нами и, мы предполагаем, Советами в последние годы холодной войны.

— Но кто мог использовать подобное оружие в Центральной Америке, сэр? Какую цель может преследовать эта провокация?

— В этом районе Юкатана нет никаких причин для серьезной политической обеспокоенности, — начал говорить седовласый, по всей видимости, главный на этой встрече. — Мы знаем о многочисленных террористических актах, большей частью это разногласия между маленькими группами военных сепаратистов, но мы знаем также, что акция, подобная этой, превышает их скромные финансовые возможности. Кроме того, нам известно об острой конкурентной борьбе между тамошними наркодельцами, которые часто прибегают к насилию, но это, как правило, просто взрывы машин и тому подобное.

— Это не взрыв машины, сэр, — подчеркнул майор.

— Разумеется, нет, — сказал человек в серебристом костюме. — Следующий слайд, пожалуйста.

Оператор продемонстрировал увеличенный и более четкий снимок, на котором были видны срезанные деревья, ровные края идеально круглого кратера, словно громадная шаровая молния появилась так стремительно, что своим испепеляющим жаром мгновенно обратила лес в пар, землю — в стекло, а затем исчезла, прежде чем разбушевался порожденный ею лесной пожар.

— Мы имеем как минимум одно рабочее предположение. В хаосе распада Советского Союза многие бывшие социалистические республики, став суверенными государствами, предъявили права на ядерные запасы, размещенные на их территориях и оставшиеся там после ухода коммунистического правительства. Значительная часть тактического ядерного оружия оказалась, так скажем... в плохих руках и была выброшена в продажу, чем и воспользовались головорезы и террористы со всего света. Мы считаем, что только данный вид вооружений обладает разрушительным действием такой силы. Это оружие могло попасть с Кубы, например, через Карибское море на Юкатан и оттуда — к наркодельцам в этой области Мексики.

— То есть вы предполагаете, что это только первый взрыв, могут быть и другие.

— Такая возможность есть, раз существует такое оружие, — сказал седовласый.

На следующем слайде они увидели карту полуострова Юкатан со штатами Кинтана-Роо, Юкатан и Кампече, на которую были нанесены и соседние небольшие центральноамериканские государства: Белиз, Гондурас, Сальвадор и Гватемала.

— Нам нужно, чтобы вы со своей группой нашли источник поступления этого оружия, а затем конфисковали или уничтожили его. Мы не можем позволить ядерным террористам свободно применять атомное оружие, даже если они всего-навсего убивают друг друга.

Человек с темно-коричневым галстуком улыбнулся, и его жирные щеки затряслись от сдерживаемого смешка:

— Дело в том, что они подают плохой пример.

— Собрать мою обычную команду? — спросил Джейкс.

— В вашем распоряжении все, что потребуется, майор Джейкс, — ответил седой. — Мы уверены, что ни одно пенни из тех средств, что мы вложим в это дело, не пропадет.

— Или ни одно песо, — добавил демонстрировавший слайды оператор.

Никто не отреагировал на шутку.

— Значит, это будет незаконным, скрытым

проникновением на чужую территорию с целью розыска и уничтожения объекта. Но как я смогу определить его местонахождение? Есть ли у вас сведения о том, что в этих местах действительно имеются ядерные боеголовки?

— У нас есть на этот счет самые серьезные подозрения, — сказал человек в серебристом костюме. — Похоже, что в одном из отдаленных уголков Юкатана расположена военная база. Мы перехватили мощный радиосигнал, закодированный таким шифром, подобного которому наши специалисты в своей практике не встречали. Сигнал обнаружен чуть больше недели назад и был таким сильным, что не мог пройти незамеченным. Мы считаем, что передатчик указывает на наличие секретной базы.

— Сигнал исходит из знакомого участка? — спросил майор и подался вперед, впившись глазами в карту.

Оператор щелкнул переключателем, и появилось следующее изображение — очень четкая фотография, сделанная со спутника, с наложенной на нее картой.

— Вероятнее всего, это место находится в отдаленных руинах майя. Когда мы сверили наши данные с теми, что имеются в госдепартаменте, то обнаружили, что там приблизительно в то же самое время, когда был перехвачен сигнал и всего несколькими днями раньше взрыва, исчезла группа американских археологов.

Мы подозреваем, что противник использует руины как свою военную базу. Поскольку до сих пор не поступало требования о выкупе или угроз по отношению к заложникам, положение наших сограждан остается неизвестным... и не является приоритетной целью вашей миссии.

— Вас понял, — сказал майор.

Он всматривался в указанный район и не видел ничего, что хоть отдаленно напоминало бы дороги.

Оператор покрутил колесико настройки и сделал слайд предельно четким.

— Кситаклан, — вслух прочитал название майор.

Во всяком случае, это казалось лучше, чем холодные горы Афганистана.

14

*Руины Кситаклана.
Воскресенье, 16.23*

Шедшие впереди индейцы начали быстро и возбужденно переговариваться на своем языке. Скалли не поняла, обрадовались они или встревожились. Последние два дня все ее усилия сосредоточивались только на том, чтобы шаг за шагом пробираться в дебри джунглей, все более удаляясь от цивилизации, комфорта и безопасности.

Фернандо Агилар ускорил шаг.

— Идите скорее, amigos, — позвал он и, раздвинув стебли гигантского папоротника, вытянул руку вперед, в сторону высокого дерева — сейбы. — Смотрите, Кситаклан!

Измученный Малдер остановился рядом со Скалли, в его глазах сверкнул интерес. Владимир Рубикон энергично рванулся вперед.

Затаив дыхание, Скалли смотрела на древний разрушенный город, который, возможно, стоил жизни Кассандре и ее друзьям. Серые тучи, нависавшие над ним, скрывали солнце, и все вокруг было погружено в угрюмый сумрак; только неуклюжие силуэты развалин высились подобно утесам в штормовую погоду.

Над городом доминировала увенчанная башней ступенчатая пирамида. Ее очертания казались нечеткими из-за буйной растительности, опутывающей стены. Широкая открытая площадь перед пирамидой была вымощена плитами, из трещин между ними прорастали тонкие длинные деревца. Вокруг виднелись усыпальницы и богато украшенные резьбой стелы, некоторые из них были повалены разрушительной силой времени и природы.

— Поразительно, — сказал Рубикон, подталкивая Фернанда Агилара в спину.

Археолог вступил на площадь, радостный и взволнованный, его эспаньолка задорно топорщилась. Он обернулся к Скалли и Малдеру, заражая их своим возбуждением:

— Обратите внимание на размеры площади. Вообразите, сколько народу приходило сюда. Дело в том, что майя возделывали землю при помощи подсечно-огневой системы, выжигая вырубки, а это, конечно, не давало им возможности прокормить крупные, густонаселенные города, подобные этому. Самые большие города, такие как Тикаль или Чичен-Ица, наполнялись народом только во время больших религиозных церемоний, игр в мяч и сезонных жертвоприношений. В остальное время года люди жили в джунглях.

— Что-то вроде современной олимпийской деревни, — заметил Малдер.

Они со Скалли подошли к старому археологу, а индейцы остались стоять на опушке леса, оживленно жестикулируя и толкуя о чем-то.

— Вы сказали, игры в мяч, доктор Рубикон? — переспросила Скалли. — Значит, у них были развиты зрелищные виды спорта?

— Полагаю, здесь находился стадион. — Доктор Рубикон обвел рукой широкое, расчищенное пространство, окруженное сложенными из отесанных плит стенами, уже частично поглощенное джунглями. — Да, это была игра... гм, что-то между футболом и баскетболом. Они толкали тяжелый каучуковый мяч поясницей, бедрами и плечами, а руками его трогать запрещалось. Нужно было забросить мяч в каменное кольцо, укрепленное на стене.

— Значит, у них были победители, награды и все такое, — сказал Малдер.

— Проигравшие в турнире обычно приносились в жертву богам, — продолжал Рубикон, — им отрубали головы, вырезали сердца, а кровью окропляли землю.

— Вероятно, чтобы избежать такой ужасной кары, несчастные напрягали все силы ради победы, — задумчиво проговорил Малдер.

Рубикон пошел вперед, озабоченно оглядываясь по сторонам и нервно теребя бородку.

— Я не вижу признаков пребывания здесь Кассандры и ее партии, не вижу следов начальных раскопок. — Он оглянулся, но их окружали безмолвный заброшенный город и угнетающие своей безбрежностью джунгли. — Думаю, придется отказаться от надежды, что у них просто сломался радиопередатчик.

Скалли обнаружила участок, где деревья и кустарник были вырублены. Полусожженные ветки и лианы громоздились кучей, будто кто-то пытался разжечь костер, чтобы уничтожить лишний мусор или подать отчаянный сигнал бедствия.

— Они находились здесь не так давно, — заметила она. — Думаю, за месяц все следы их работы были бы уничтожены и скрыты джунглями.

— Может, они заблудились в джунглях или их съел ягуар, а? — с усмешкой произнес Агилар.

— Они были не так уж беспомощны, — отрезала Скалли.

— Партия Кассандры должна была действовать более аккуратно, — сказал Рубикон, словно пытаясь убедить самого себя. — Не так, как в старые времена, когда любители-землекопы приходили ради забавы. Профессиональные археологи должны действовать с осторожностью, осматривая каждый камень, отыскивая важные детали. — Он пристально смотрел на полуразрушенные каменные сооружения. — Самый худший тип любителей — это те, кто считает, что трудятся на пользу истории. В начале века они приходили в старые храмы, безжалостно сбивали плиты со стен и собирали все — и ненужный хлам, и камни с иероглифами — в огромные кучи, которые мы теперь называем ЗТБ — знает только Бог, потому что только он знал, что там находится.

Они ступали осторожно и переговаривались негромко, как будто боялись вызвать раздражение древних призраков Кситаклана. Мощенная известняковыми плитами площадь когда-то была ровной и гладкой, но теперь плиты потрескались, и сквозь трещины пробивалась буйная тропическая растительность.

— Я понимаю, почему Кассандра испытывала здесь такой восторг, — сказал Рубикон охрипшим голосом. — Это же воплощенная мечта любого археолога — все этапы истории майя. То, что мы видим, представляет собой новые открытия. Каждый камень, каждый иероглиф, который находится здесь, никогда еще не описывался. Каждая новая реликвия может оказаться долгожданным Розеттским камнем* для письменности майя. Тогда-то и откроется тайна того, почему люди, достигшие такого высокого уровня культуры, покинули свои города и исчез-

---

* Розеттский камень — базальтовая плита с параллельным текстом 196 г. до н.э. на греческом и древнеегипетском языках. Найдена близ г. Розетта (ныне г. Рашид, АРЕ) в 1799 г. Дешифровка Ф.Шампольоном иероглифического текста Розеттского камня положила начало чтению древнеегипетских иероглифов.

ли много веков назад... гм, если, конечно, другие люди не растащат все это на сувениры раньше, чем научные экспедиции окончат свою работу.

Скалли представила себе руины без пышной, окутывавшей их растительности. Какие-то любители все же побывали в этих местах или знали о их существовании. Кситаклан, должно быть, притягательное место.

Неподалеку, подобно стражам у ворот, стояли две стелы. Каменная резьба на них изображала пиктограммы майя и календарные символы; каждый обелиск обвивала кольцами каменная змея с топорщившимися вокруг головы перьями. Скалли вспомнила нефритовую скульптуру Пернатого Змея, которую показывал ей Малдер.

— Это, вероятно, Кукулькан? — спросила она, указывая на стелу. — Пернатый Змей?

Рубикон обошел стелы кругом, внимательно изучая резьбу сквозь очки.

— Да, и изображен очень четко. Вот этот кажется более крупным и гуще оперенным. Он необычайно реалистичен, подобно тем нефритовым статуэткам ягуара, выставленным в моем музее. Гм, эти змеи совершенно непохожи на стилизованные иероглифы и символические изображения, которые мы обычно встречаем на стелах майя. Гораздо интереснее.

— Не исключено, что скульптура сделана с натуры, — предположил Малдер.

Скалли быстро глянула на него, и он слегка улыбнулся в ответ.

— Сумерки делают изображения причудливее, — сказал Агилар. — Может, быстренько осмотрим местность, а потом разобьем лагерь, а? Завтра вы можете начать настоящие поиски.

— Да, это хорошая мысль, — неохотно признал Рубикон.

Разочарованный отсутствием дочери, он тем не менее не мог остаться равнодушным к увиденному.

— Это настоящий пир — увидеть подобные места, прежде чем их разорят туристы. Большинство знаменитых руин были испорчены тысячами туристов, которые не интересовались историей и приезжали туда только потому, что о них рассказывали красочные проспекты. — Он в волнении стиснул руки. — Стоит обнаружить прежде неизвестную местность со следами древних культур, как туда обязательно кто-нибудь явится и моментально все разорит.

Они вчетвером пересекли площадь и обошли центральную пирамиду. Здесь с двух сторон кустарник был вырублен, и Скалли заметила в основании пирамиды приоткрытую дверь и узкий вход, ведущий внутрь древнего сооружения.

— Кажется, сюда кто-то входил, — сказала Скалли.

Малдер опередил своих спутников, обогнул пирамиду и неожиданно окликнул их. Они подошли и увидели, что он стоит у края круглого колодца футов тридцати в диаметре.

— Это сенот, — объяснил Рубикон. — Священный источник. Очень глубокая естественная известняковая скважина.

Скалли осторожно ступила на осыпающийся парапет, возведенный вокруг устья колодца. Они стояли у самого края, и Скалли наклонилась, чтобы увидеть далеко внизу зеркально-гладкую поверхность мрачной зеленой воды. Сенот казался бездонным. Его пятнистые известняковые стены были покрыты бороздками, напоминающими винтовую нарезку. Малдер бросил в воду голыш, наблюдая за возникшей рябью.

— Майя считали эти природные источники священными — водой от богов, поднимающейся из земли, — объяснял Рубикон. — Можете быть уверены, на дне его покоятся драгоценные реликвии и скелеты.

— Скелеты упавших туда людей? — спросила Скалли.

— Да нет, сброшенных, — возразил Рубикон. — Сеноты были священными колодцами, местом жертвоприношений. Возможно, майя оглушали жертвы или душили их, а потом привязывали к телам груз, чтобы они затонули, и сбрасывали туда. Иногда, для особо важных религиозных церемоний, жертвы выбирались заранее, чуть ли не за год. В этот период им предоставлялась возможность вести жизнь, полную удовольствий: обильная пища, много женщин, хорошая одежда, вплоть до того дня, когда их поили наркотическим зельем, вели к краю сенота и бросали в священную воду.

— Я не думала, что майя были таким кровожадным народом, — сказала Скалли.

— Это результат фальсификации, сработанной одним археологом, который так восхищался майя, что ему порой изменял здравый смысл. Поэтому он тенденциозно освещал свои находки, скрывая те из них, которые свидетельствовали о проведении кровавых обрядов и других случаях кровопролития.

— Мастерски плел археологические сказки, — вставил Малдер.

— Культура майя была неистовой, проливающей много крови, особенно в последние периоды, под влиянием тольтеков. Они с восторгом наносили себе раны, отсекали пальцы рук и ног во время обрядов самоистязания и находили это прекрасным. По сути дела, самым кровожадным был культ бога Тлалока. Его жрецы перед проведением больших храмовых праздников убеждали матерей продать им своих малолетних детей. На пышной церемонии младенцев варили в кипятке, а затем съедали с большой торжественностью. Жрецы испытывали особенный восторг, когда дети плакали от боли, гм, потому что верили, что их слезы обещают хорошие дожди.

Глядя на темную воду, Скалли содрогнулась

при мысли о том, какие ужасные тайны хранятся в этой мрачной глубине.

— Я уверен, что подобные церемонии не свойственны больше ни одной религии, — сказал Рубикон, словно это могло ее успокоить. Он отошел от парапета и отряхнул руки. — Вам не о чем беспокоиться. Убежден, эти древние обряды не имеют никакого отношения к пропавшим здесь людям... и к Кассандре.

Скалли уклончиво кивнула. Да, здесь они полностью изолированы: до ближайшей дороги два дня пути, их окружают молчаливые руины майя, народа, который когда-то приносил бесчисленные кровавые жертвоприношения. Здесь исчезла бесследно целая партия археологов.

В самом деле, стоит ли беспокоиться...

15

Руины Кситаклана.
Воскресенье, 18.38

Стоя на краю полуразрушенного парапета, Малдер пристально вглядывался в манящую глубину священного источника. Тяжелый запах плесени и гниения поднимался от воды, невольно заставляя его думать о покоящихся на дне скелетах многочисленных жертв религиозных представлений майя. Погруженный в мрачные размышления, он почувствовал, как по спине пробежала необъяснимая дрожь. Легкие янтарные тени начали удлиняться под лучами уходящего солнца.

Малдеру почудилось, что тяжелая маслянистая поверхность воды покрылась рябью и стала вращаться, втягиваясь внутрь воронкой. Затем он действительно ощутил слабое сотрясение почвы под ногами... подобное вибрации, которую мог бы производить работающий под землей генератор.

Он вспомнил о рассказе Герберта Уэллса «Машина времени», о зловещем, создающем в подземном туннеле свои машины Морлоке, жаждущем плоти и крови земных жителей. Вода вращалась все стремительнее. Неожиданно на ее поверхности появились огромные, размером с бочонок, пузыри, которые, лопаясь, извергали зловонные газы глубин.

— Что происходит? — поразился Малдер.

Он поспешно удалился от края источника, так как колебания почвы стали сильнее. Его нагнала волна отвратительного запаха плесени и сернистых газов. Вонь была такой сильной, словно где-то готовили омлет из тысячи протухших яиц. Задыхаясь, Малдер зажал нос. Скалли тоже дышала с трудом, хотя тяжелые запахи были ей более привычны, так как она часто присутствовала при вскрытиях.

— Что за вонь! — воскликнул Агилар.

— Может, это труп легендарного Тецкатлипока? — предположил Владимир Рубикон, взволнованный происходящим. — Этого запаха достаточно, чтобы убить массу народа.

Скалли осторожно втянула воздух носом и покачала головой:

— Нет, я думаю, это сера, диоксид серы. Вулканический газ.

— Давайте поговорим об этом подальше от источника, — предложил Малдер.

Они поспешно двинулись вокруг пирамиды, возвращаясь на площадь.

— У меня от этой ходьбы уже колени дрожат, — пожаловалась Скалли. — Хотя, подождите, это не колени, это... земля. Она вздрагивает!

Малдер увидел, что деревья закачались, подрагивая и клонясь к земле. Он скорее почувствовал, чем расслышал пока неуловимый слухом гул и ощутил нарастающую силу толчков.

Индейцы-рабочие стояли кучкой у полунатянутой палатки, крикливо и взволнованно переговариваясь. Один тощий индеец побежал в лес, что-то крича на бегу остальным.

— А у них-то какие проблемы? — спросил Малдер. — Они что, никогда не видели, как гневаются боги?

— Это сейсмическая активность, — бесстрастным тоном аналитика произнес Рубикон. — Гм, но как же здесь может произойти землетрясение? Полуостров Юкатан — высокое, устойчивое известняковое плато. С точки зрения геологии на нем невозможна вулканическая деятельность.

Словно для того, чтобы опровергнуть его доводы, земля содрогнулась, как будто по ней ударили гигантской кувалдой. Мощенная плитами площадь вздыбилась. Тонкоствольные макагоновые деревья, группой растущие около старого храма, вдруг опрокинулись, вздымая в воздух вывернутые из рассыпавшейся в порошок почвы корни, подобно дрожащим в ужасе щупальцам.

Один из древних полуразрушенных фасадов неподалеку рухнул, развалившись окончательно, и каменные обломки с грохотом покатились в стороны. Из стен ступенчатой пирамиды вываливались кирпичи и, словно вырвавшись на свободу, стуча и подпрыгивая, катились вниз все быстрее и быстрее.

У опушки леса содрогающаяся земля внезапно покрылась сетью широких трещин, из которых вырывались на свободу подземные газы, распространяя вокруг отвратительный запах. Малдер схватил Скалли за руку, чтобы она не упала.

— Лучше уйти подальше от крупных сооружений, — сказала напуганная Скалли, — они могут рухнуть и погребут нас под собой.

Они подхватили старого археолога под руки и выбежали на середину открытой площади, тогда как земля продолжала колыхаться под ними.

Малдер увидел, как начал раскачиваться из стороны в сторону зиккурат, подобно чикагским небоскребам при ураганном ветре, и сжал ладонь Скалли.

— Держись крепче! — в ужасе крикнул он.

Казалось, землетрясение вот-вот достигнет своего пика, но тут колебания стали заметно ослабевать и через несколько минут затихли до слабой вибрации, что было очень своевременно, иначе нервы Малдера сдали бы от страха.

Рубикон трясущимися руками теребил бородку.

— Гм, значит, я сильно ошибался относительно сейсмической стабильности этого района, — нервно улыбаясь, сказал он.

Агилар указал на разбросанное снаряжение и валяющиеся палатки: индейцы покинули лагерь.

— Похоже, мы лишились наших помощников, — сказал он и полез в карман за папиросной бумагой и кисетом. Его лицо было мертвенно-бледным. — Ну ничего, они вернутся завтра, amigos. Они хорошие рабочие. Но сегодня нам придется самим готовить себе ужин и крышу над головой, а?

Рубикон, грустно опустив голову, неловко примостился на торчащей из земли каменной плите.

— Одной из причин, привлекавших Кассандру в эти места, была, гм, очень локализованная и необычная геологическая нестабильность, в чем я категорически с ней не соглашался. Знаете, ведь ее первой страстью была геология. Моя девочка коллекционировала камни, изучала их происхождение, структуру, ее изменения. Она собрала обширную коллекцию минералов, очень их любила, часами возилась с ними, оформляла и наклеивала ярлычки.

Потом у Кассандры возрос интерес к раскопкам, она хотела не просто изучать камни, но узнавать, что под ними таится, находить следы истории между наслаивающимися веками породами.

Она где-то вычитала о сейсмической активности в этом районе, и это ее настолько поразило, что она решила параллельно с изучением руин майя обследовать здешнюю породу. — Старый археолог недоуменно покачал головой. — Но все же мне кажется невероятной столь бурная вулканическая деятельность в этом районе.

Он указал на высокую пирамиду, по ступеням которой продолжали скатываться известняковые блоки, рассыпаясь на мелкие обломки.

— Вы сами можете видеть, что эта зона довольно стабильна: если бы сейсмические волнения происходили здесь часто, эти сооружения давно сравнялись бы с землей. Именно существование Кситаклана неоспоримо доказывает феноменальную стабильность территории.

— Но минуту назад, сеньор, она вовсе не казалась стабильной, — возразил Агилар, широко расставив ноги, будто в любой момент ожидал новых толчков.

Ему наконец удалось справиться с дрожащими пальцами и скрутить папиросу.

Малдер мысленно перебирал информацию, которую накопил за многие годы благодаря упорному чтению книг, различных энциклопедий и рабочих отчетов. Он всегда запоминал любые события, если в них был малейший оттенок загадочности и неопределенности.

— Большинство главных вулканов Центральной Америки расположены в высокогорьях Мексики, так сказать, под ее спинным хребтом. Но вулканы часто ведут себя непредсказуемо. Один из них, именуемый Парикутин, например, неожиданно проснулся в тысяча девятьсот сорок третьем году прямо в центре кукурузной плантации, которая была плоской, как доска. Фермер пахал свое поле, но вдруг земля стала вздрагивать и дымиться. Вулкан продолжал действовать еще девять лет, выбрасывая миллиарды тонн лавы и пепла. Он полностью уничтожил два города.

— Малдер, ты хочешь сказать, что вулкан может возникнуть где угодно? — спросила Скалли.

Малдер кивнул:

— За ростом Парикутина наблюдали геологи всего мира. За первые двадцать четыре часа вулкан образовал конус из вулканических извержений высотой двадцать пять футов. Через восемь месяцев он достиг высоты полутора тысяч футов... очень энергичный подросток. Всего Парикутин покрыл лавой и пеплом около семи квадратных миль окружающей местности. Сейчас он достиг максимальной высоты в девять тысяч футов, и это произошло всего пятьдесят лет назад. Кто знает, что еще может извергнуться из земли. — Он посмотрел на Скалли, Рубикона и Фернандо Агилара. — Сегодня ночью я буду настороже и разбужу вас, если вулкан снова начнет действовать.

— Великолепное предложение, сеньор, — сказал Агилар, раскуривая новую папиросу.

Скалли с беспокойством посмотрела на Малдера. Он знал, о чем она думает, поскольку задавал себе те же вопросы. Что спровоцировало вспышку вулканической активности в Кситаклане? Энергия какого происхождения нашла себе здесь выход? И почему именно теперь?

Что-то здесь произошло, но Малдер не знал, связано ли это каким-нибудь образом с исчезновением партии Кассандры, или просто такое совпадение.

Ему не раз приходилось сталкиваться с самыми, казалось бы, невероятными ситуациями и явлениями, но в атмосфере таинственности, царившей в заброшенном и пустом древнем городе, как-то не верилось в возможность простого совпадения.

16

Замок Питера Гроуба.
Штат Кинтана-Роо.
Воскресенье, 16.30

Карлос Баррехо, сняв полицейскую фуражку, дожидался у ворот похожего на крепость замка Питера Гроуба, пока могучий охранник переговорит с хозяином по телефону. Пухлой ладонью Баррехо пригладил волосы, прикрывающие лысину, и расправил пышные черные усы. Шеф полиции чувствовал себя просителем у ворот могущественного наркобарона, но ничего, он спрячет свою гордость, раз это необходимо для освобождения родины.

В его потертой кожаной сумке лежали бережно завернутые красивые нефритовые вещицы и старинные реликвии, извлеченные из руин в окрестностях Кситаклана. До сих пор Баррехо никогда сам не продавал статуэтки и не знал, какую цену можно за них назначить, но ему срочно нужны были деньги, так как «Либерасьон Кинтана-Роо» нуждалась в оружии и боеприпасах.

Помощник Агилара Пепе Канделариа оказался ненадежным и не вернулся из джунглей, куда его послали на задание неделю назад. Он не доставил новых сокровищ из Кситаклана и, наверное, просто-напросто сбежал, бросив мать и сестер. Баррехо больше не мог ждать, поэтому собрал безделушки, которые оказались под рукой, и решил попытаться продать их.

Конечно, Фернандо Викторио Агилар умел выбрать покупателя для особо дорогих изделий, но он не так часто этим занимался, а проблемы Баррехо требовали немедленного решения. Кроме того, сейчас, после смерти, нет! — после полного уничтожения Ксавье Салида ему было просто необходимо найти нового покупателя, даже если этим приходилось заниматься самому.

Охранник положил трубку и открыл обитые стальными листами деревянные ворота, ведущие в жилище Питера Гроуба, обнесенное толстыми стенами из известняковых плит и напоминающее крепость больше, чем самые крупные руины.

— Мастер Гроуб уделит вам пятнадцать минут, — сказал охранник. — Я провожу вас.

Баррехо нервно кашлянул и кивнул:

— Благодарю.

Он одернул белый форменный китель, но фуражку надевать не стал. Какая ирония судьбы, размышлял полицейский, он, мнимый страж законов находящегося под коррумпированной властью мексиканского правительства штата Кинтана-Роо, ожидает милости со стороны наркобарона. Но Баррехо понимал правила игры, в которую вынужден был играть, чтобы достичь своей главной цели. У потомков майя долгая память, они веками ждали освобождения, стремясь вернуть потерянный золотой век.

Свобода и независимость! Народ Кинтана-Роо будет благодарен ему, когда беспорядки, кровопролитие и политический переворот станут воспоминанием. В конце концов, разве во время великой мексиканской революции 1910 года не был убит каждый восьмой гражданин? Люди боролись за свободу и заплатили за нее очень высокую цену.

Охранник пропустил Баррехо вперед и с грохотом закрыл за ним ворота. Баррехо увидел крепость Гроуба, стилизованную под старинный немецкий замок. Мощные стены с высокими и узкими стрельчатыми окнами производили внушительное впечатление.

Баррехо чувствовал, что охранник с автоматом наизготовку неотступно следует за ним. Ничего удивительного — у бельгийского эмигранта были причины держаться настороже. Конкурирующие наркодельцы убивали друг друга так часто, что небольшой штат полицейских под началом Баррехо не успевал расследовать каждый случай.

Странно, но охранник позволил ему оставить

при себе револьвер. Поразмыслив, Баррехо решил, что страж абсолютно уверен в быстроте своей реакции и автоматная очередь уложит его наповал раньше, чем он успеет выхватить пистолет из кобуры. Но Баррехо и не собирался проверять правильность этого предположения.

Шеф полиции следовал вперед, держа в одной руке сумку с поделками из нефрита, а в другой фуражку, и гадал, не кончится ли срок его аудиенции как раз в тот момент, когда они доберутся до личных покоев Гроуба, или все-таки беседа состоится, раз они наконец встретятся лицом к лицу.

Могучий охранник провел его через главное здание в защищенную навесом галерею и оттуда в просторный внутренний двор — патио, где находился овальный бассейн-джакузи. Из патио двери вели в другие помещения — может быть, в сауну или в душ.

Питер Гроуб сидел в патио в парусиновом кресле, наслаждаясь тишиной, слушая отдаленный шелест джунглей. Он не любил музыки и шумных развлечений.

Баррехо остановился у входа в патио, ожидая, когда его заметят. На стеклянном столике рядом с креслом Гроуба стоял черный телефонный аппарат и прозрачный запотевший кувшин, наполненный бледно-зеленым лимонадом, в котором плавали кружочки лимона.

На цепях покачивались качели. Окна, столы и качели были окутаны тончайшей паутиной нейлоновой сетки, защищающей от москитов. Гроуб, невероятно худой, с отталкивающими чертами лица, сидел, завернувшись в сетку, как в кокон, и сжимал длинными пальцами черный мундштук с тлеющей едким дымом сигаретой.

Он выпростал руку, налил себе тягучего напитка, а затем снова втянул руку со стаканом под сетку.

Не дождавшись знака внимания со стороны Гроуба, Баррехо деликатно кашлянул, вызвав этим острый взгляд охранника.

Питер Гроуб оторвался от своих размышлений и повернул в их сторону длинное лицо, избороженное глубокими морщинами. Темно-каштановые волосы были модно подстрижены, на висках серебрилась седина. На лице выступили капельки пота, казалось, ему душно и неудобно, несмотря на свободный костюм из светлого хлопка.

— Слушаю вас, сеньор Баррехо, — сказал он скрипучим голосом. — Ваши пятнадцать минут начались. Что вы хотели обсудить со мной?

Голос бельгийского мафиози был спокойным и твердым. Баррехо знал, что Гроуб безупречно, без малейшего акцента, говорит по-английски и по-испански — искусство, которым удается овладеть не каждому дипломату.

— Я принес несколько вещиц, которые могут заинтересовать вас, эччеленца, — сказал Баррехо.

Он шагнул вперед и поставил сумку на стоящий возле кресла хозяина низкий деревянный столик с инкрустацией. Охранник напрягся, готовый защитить хозяина от предательского нападения.

— Не переигрывай, Хуан, — бросил Гроуб, даже не взглянув на него. — Давай спокойно разберемся с тем, что принес наш друг, шеф полиции.

— Скульптурки из нефрита, эччеленца, — сказал Баррехо, — бесценные изделия ручной работы индейцев майя. Если вы купите их, они никогда не попадут в пыльные витрины музеев, где могут только потерять свою истинную художественную цену. — Баррехо открыл сумку и извлек скульптурки. — Вместо этого они станут вашей собственностью, и вы сможете любоваться ими, когда пожелаете.

Каждая скульптурка представляла различные варианты образа легендарного существа, почитаемого майя в давно прошедшие времена, — искусно вырезанного Пернатого Змея с длинными когтистыми лапами и умными круглыми глазами.

Гроуб подался вперед и высунулся из своего кокона, чтобы снова разжечь потухшую сигарету. Тяжелый сладковато-едкий дым окутал Баррехо и, на его взгляд, мало чем отличался от запаха марихуаны.

— И что же заставило вас подумать, что у меня есть хоть малейший интерес к контрабандному антиквариату, сеньор шеф полиции Баррехо? — произнес Гроуб ледяным тоном. — Это что, ловушка? Вы решили спровоцировать меня на незаконные действия, чтобы арестовать с поличным?

Баррехо отступил в крайнем испуге.

— Это было бы величайшей глупостью, эччеленца Гроуб, — вымолвил он.

— Да, — подтвердил тот. — Совершенно верно.

— В штате Кинтана-Роо действуют свои особые законы, — продолжал Баррехо. — Я знаю свое место в этом обществе, эччеленца, и также знаю ваше. Я никогда не рискнул бы сделать ничего подобного! — Он перевел дыхание. — Смею добавить, мы видели результаты вашего недовольства, эччеленца. Я лично побывал на разрушенной вилле Ксавье Салида. Для меня непостижимо, что именно вы предприняли, чтобы отомстить ему, но абсолютно ясно: вы обладаете непревзойденным могуществом, и у меня нет намерения вставать вам поперек дороги.

Судя по всему, Гроуб засмеялся, хотя сухой прерывистый хрип скорее походил на кашель.

— Мне нравится, что вы так боитесь меня, сеньор Баррехо. Это правда, что... разногласия между мной и Ксавье Салида за последние недели обострились. Но, уверяю вас, я не имею ни малейшего отношения к уничтожению его жилища. Больше всего на свете мне хотелось бы узнать, как можно произвести такое опустошение, потому что тогда мои соперники боялись бы меня так же, как вы.

Потрясенный признанием, Баррехо судорожно пытался переварить полученную информацию. Если Гроуб ни при чем, кто же тогда погубил Салида? Кто в Мексике может обладать разрушающим устройством такой мощности?

Бельгиец тем временем продолжал:

— До меня дошли сведения, что вы и этот бездельник Фернандо Агилар продавали Салида произведения искусства майя из новых раскопок в руинах, которые называются... — Гроуб приложил палец к губам, вспоминая, — Кситаклан, кажется. Многие из моих слуг-индейцев, включая и нашего друга Хуана, — он бросил взгляд на неподвижного охранника, который по-прежнему держал оружие наготове, — верят, что эти вещи прокляты и их нельзя доставать оттуда, где они находятся. Боги сердятся и посылают отмщение. Ксавье Салида поступил неблагоразумно, покупая украденные древние изделия, и уже заплатил за это. То, что вы мне сейчас предлагаете, вероятно, тоже из Кситаклана? Сеньор Баррехо, я не хочу навлекать на себя гнев богов.

Баррехо натужно рассмеялся и, скрывая волнение, принялся вертеть в толстых пальцах фигурку змея. Его мозг лихорадочно пытался найти такой вариант, чтобы сделка состоялась.

Ему необходимо было продать хоть несколько поделок, он должен добыть деньги. Все, что он мог пожертвовать из своего жалованья, Баррехо уже отдал. Ему было очень трудно совмещать работу шефа полиции со своим истинным призванием — борьбой за независимость штата Кинтана-Роо.

Самым подходящим делом казалась спекуляция на славе майя, народа, создавшего великую цивилизацию в этой части Юкатана. Их драгоценные изделия помогли бы финансировать борьбу за свободу, помочь Баррехо и его группе революционеров отвоевать независимость своей территории, выиграть в борьбе против коррумпированного правительства Мексики. Если им это удастся, то «Либерасьон Кинтана-Роо» провозгласит новое государство, в котором вновь расцветет былая слава майя.

— Должно быть, вы шутите, эччеленца, — наконец произнес Баррехо. — Какие предрассудки! Разве такой высокопоставленный европеец, как вы, может верить в древние проклятия! — Он вопросительно поднял брови.

Гроуб снова отхлебнул лимонада, поглядел на часы и глубоко вздохнул:

— Мои собственные взгляды не имеют отношения к данной ситуации, сеньор шеф полиции Баррехо. Если индейцы считают эти штучки проклятыми, я не смогу заставить ни одного из них работать на меня. Мои домашние слуги напуганы. Они разбегутся в первую же ночь, и вряд ли мне удастся заменить их другими. А это значительно усложнит мое существование. —

Он положил пустой мундштук на подлокотник кресла. — Я хочу наслаждаться жизнью без всяких осложнений. И мне совсем не улыбается стать объектом мести со стороны какого-нибудь последователя религии древних майя, если я вдруг захочу похвастаться этими древними игрушками.

Гроуб наклонился вперед, на прощание снова показав лицо из-за сетки. Его карие глаза сверлили Баррехо.

— Моих денег хватит на то, чтобы надежно защититься от нападения моих конкурентов по наркобизнесу, но фанатик-самоубийца — это угроза, против которой мало кто устоит. — Он снова спрятался под сетку и взглянул на часы. — Ваше время истекло, сеньор Баррехо. Сожалею, но не могу воспользоваться вашими услугами.

Отказавшись от дальнейших уговоров, которые в данной ситуации выглядели бы унизительными, Баррехо уложил фигурки в сумку, неловко поклонился, надел фуражку и, ссутулившись, повернул к двери.

— Минуточку, сеньор Баррехо, — неожиданно окликнул его наркобарон.

Баррехо обернулся, сердце забилось в надежде, что Гроуб только играл с ним, стараясь сбить цену. Но вопреки его ожиданиям бельгиец сказал:

— Позвольте теперь и мне предложить вам кое-что ценное. Я не испытываю интереса к вашим реликвиям и сообщу вам информацию бесплатно — пока. Надеюсь, вы не забудете об этом и в случае необходимости сможете отплатить мне добром.

— Что это, эччеленца?

Бельгиец вынул из мундштука окурок, достал из кармана костюма темно-коричневую коробочку и вставил новую сигарету. Он зажег ее, но пока не ответил на вопрос, курить не стал:

— Благодаря своим международным связям я узнал, что в Кинтана-Роо собирается тайно проникнуть команда военных из Соединенных Штатов. У них имеется диверсионное задание. Коммандос намерены найти тайник с оружием или целую военную базу глубоко в джунглях. Возможно, вы уже знаете об этом? Может, это имеет отношение к партизанской революционной группе, известной под названием «Либерасьон Кинтана-Роо»? — Он тонко усмехнулся. — Поскольку вы являетесь шефом полиции в ваших краях, я думаю, что вам будет интересно узнать об этом.

Баррехо похолодел, чувствуя, как кровь отхлынула от лица. Кусок льда в желудке не давал ему вздохнуть, в то время как по венам пробежала горячая вспышка гнева.

— Американские военные едут сюда, тайно? Как они смеют! И под каким предлогом?

— Полагаю, они проникнут через границу с Белизом. Если постараетесь, думаю, сумеете раздобыть более подробную информацию.

— Благодарю вас, — сказал ошеломленный Баррехо. — Благодарю вас, эччеленца.

С сумкой в руках, в которой лежали уже забытые фигурки, Баррехо спотыкаясь побрел за охранником.

Сиюминутная проблема изыскания денег отошла на задний план, он думал только о том, что обнаружили американцы, и к чему подбираются, и не нависла ли угроза над планами борьбы за независимость штата.

17

Руины Кситаклана.
Воскресенье, 20.17

Спустя несколько часов после землетрясения земля снова вернулась к состоянию относительного спокойствия.

Отвратительное зловоние сероводородных паров уступило место душному дыханию джунглей, аромату цветов, острому пряному запаху гниющей листвы.

Они сидели у костра из смолистых веток, когда подошел улыбающийся Агилар с болтающейся на плече сумкой.

— Вместо ваших американских консервов я раздобыл еду из джунглей.

Он порылся в сумке и извлек полные пригоршни круглых, как луковицы, серо-зеленых пятнистых грибов. Потом стряхнул с одежды волокна мха и смахнул лесной мусор со шляпы.

— Для начала мы пожарим грибы, очень вкусные, а? У них вкус, как у лесных орехов.

Малдер облизнулся, но Скалли глядела с опаской:

— А они точно съедобные?

Агилар утвердительно затряс головой:

— Это местный деликатес, он использовался во многих традиционных блюдах майя.

Рубикон взял один гриб, поднес к огню, прищурился и нацепил на нос очки.

— Да, когда-то мне приходилось их есть. Очень вкусные.

Он насадил гриб на ветку и стал обжаривать в пламени со всех сторон.

— Хорошо еще, что он не принес нам личинок жуков, — сказал Малдер, отмахиваясь от назойливых москитов.

— Ах да, жуки! — воскликнул Агилар, хлопнув себя по бедрам. — Я могу найти жуков, есть очень много съедобных и вкусных видов. Или, если хотите устроить настоящий пир, могу застрелить обезьяну.

— Спасибо, не надо, — поспешила отказаться Скалли.

— Немного отличается от вчерашнего ужина, — сказал Малдер.

Их окружала гнетущая тишина. Потрескивающий костер был маленьким островком тепла и света на обширной площади Кситаклана. В других обстоятельствах Малдер предложил бы спеть хором «Плыви, моя лодка, плыви», но не здесь и не сейчас.

Вокруг бесшумно сновали летучие мыши,

хватая на лету насекомых и издавая едва уловимый для человеческого уха писк. Большие ночные мотыльки чертили в воздухе изящные, бледно вспыхивающие в темноте спирали. В зарослях кустарника, окружающих площадь, порою сверкали глаза хищников, отражающие огонь костра.

Скалли сняла с ветки дымящийся гриб, внимательно осмотрела его и положила в рот. Медленно прожевывая, чтобы хорошенько ощутить вкус, она закрыла глаза, как вдруг, у самого ее лица, летучая мышь схватила крупного мотылька и мгновенно исчезла в ночной темноте. Скалли запоздало вздрогнула от неожиданности.

Малдер вспомнил об индейцах, убежавших при первых признаках землетрясения и до сих пор не решавшихся подойти ближе к руинам, но когда он заговорил об этом, Агилар презрительно фыркнул:

— Все они суеверные трусы. Их уважение старой религии перевешивает здравый смысл. Они убеждены в том, что здесь все еще обитают призраки их предков, ублажавших богов жертвами, не говоря уже о тенях самих древних богов.

Рубикон пристально вглядывался в темноту, слушая жужжание насекомых, выкрики ночных птиц, крадущиеся шаги хищников. На его худом лице застыло выражение сосредоточенности. Малдер понимал, что старый археолог думает о своей дочери, затерянной и одинокой в глухих джунглях, кишащих грозными хищниками, ядовитыми змеями... или опасными искателями сокровищ.

Малдер поднял голову, прислушиваясь, ему показалось, что какое-то крупное существо пробирается по лесу, он увидел, как зашевелились плотные заросли папоротника. Остальные, казалось, ничего не заметили.

— Не так уж сильно все здесь изменилось в течение века, — сказал Рубикон, далеко уносясь в своих размышлениях. — Когда я думаю о Кассандре и ее экспедиции, то невольно вспоминаю первых любителей-археологов в этих краях. Они страдали от тех же трудностей, с которыми, вероятно, придется столкнуться и нам.

Рубикон насадил на нос очки. Час вечерней сказки, подумал Малдер.

— Первыми белыми людьми, приехавшими исследовать руины, были Стефенс и Казервуд, опытные путешественники, уверенные, что смогут добраться до любого места в любом диком краю.

В старинных фолиантах они отыскали упоминания о великих городах, затерянных в тропических джунглях, гм, «разрушенных и забытых, даже без названия». Думаю, что цитирую точно. Я читал их походные дневники.

Стефенс и Казервуд отправились в тропические леса на территории Гондураса в тысяча восемьсот тридцать девятом году. Спустя много дней труднейшего пути по непроходимым джунглям они наконец достигли руин Копана, где увидели покрытые растительностью разрушенные постройки, каменные лестницы. Стефенс и Казервуд ничего не знали об истории майя, а когда спрашивали у местных индейцев, кто построил город, те только пожимали плечами.

Позже они не раз возвращались в Центральную Америку, посетили десятки разрушенных городов. Вместе опубликовали захватывающий отчет о своих приключениях. Стефенс очень выразительно все описывал, а Казервуд иллюстрировал его рассказы великолепными рисунками. Их книги вызвали острый интерес к археологии, гм, не знаю, к лучшему ли.

Но далось им все это нелегко, особенно Казервуду. Казалось, над ним тяготело проклятие. Он заболел малярией и жестоко страдал от перемежающейся лихорадки. От укуса какого-то насекомого его нога так распухла, что он не мог ходить. Левая рука была почти парализована. Индейцы вынесли его из леса на своих плечах.

Однако он выздоровел и вернулся в Нью-Йорк, где устроил несколько выставок своих картин. Одна из самых значительных экспозиций, где были представлены картины Казервуда и интереснейшие произведения искусства, привезенные ими из страны майя, была уничтожена пожаром.

Скалли сочувственно покачала головой:

— Какая потеря!

Рубикон продолжил, пристально глядя на огонь:

— Спустя несколько лет Казервуд возвращался в Штаты из очередной экспедиции, его корабль столкнулся с другим, и он утонул в море. Невезение или проклятие майя — можно утверждать по-разному.

Агилар чем-то громко хрустел, сидя на корточках. Малдер мельком увидел цепкие черные лапки, когда гид бросил себе в рот очередной кусочек.

— Интересная история, сеньор, — пробормотал Агилар с полным ртом. — Но, видно, проклятие было не таким уж сильным, если не остановило поток белых людей — таких же любителей приключений, как вы, а?

— Или как моя дочь, — добавил Рубикон.

Скалли встала, разминая колени, и отряхнула брюки.

— Ну, пожалуй, пора ложиться и попробовать заснуть, — сказала она. — А то с минуты на минуту вы начнете рассказывать о каких-нибудь привидениях, так что от страха уже глаз не сомкнешь.

— Неплохая идея, — отозвался Рубикон. — Лучше подняться на рассвете и приступить к тщательным поискам следов моей дочери.

— Думаю, на следующий вечер, чтобы хорошо спалось, нам стоит припасти какую-нибудь счастливую историю любви, — сухо сказал Малдер.

Малдер проснулся глубокой ночью от громкого треска веток и странного шуршания, как будто кто-то передвигался ползком. Все ближе и ближе. Он протер глаза и сел, внимательно прислушиваясь.

Снаружи доносились хорошо различимые в тишине звуки. Кто-то осторожно пробирался через площадь, может быть, крупный хищник в поисках легкой добычи. Тонкий брезентовый полог палатки показался ненадежной защитой.

Малдер осторожно наклонился, раздвинув москитную сетку, чтобы добраться до выхода, неожиданно громко зашуршал одеждой и замер, настороженно прислушиваясь, но больше не услышал ни звука.

Малдеру представилось огромное плотоядное чудовище, доисторическое животное, заблудившееся во времени, с фырканьем нюхающее воздух, устремившее горящий взгляд в направлении его палатки. Немного успокоив дыхание, он с чрезвычайными предосторожностями откинул полог и выглянул наружу.

Яркая горбатая луна только начинала всходить, освещая верхушки деревьев, по небу скользили огромные темные тучи.

Палатка была установлена неподалеку от каменной стелы с вырезанным на ней изображением Пернатого Змея. Грани стелы сходились наверху, ее остроконечная неясная тень лежала на неровных плитах площади.

Обступившие площадь деревья с голыми сучьями и дикие заросли кустарника, казалось, замерли. В самую глухую пору ночи даже ночные создания не решались шевелиться, ожидая переломного часа.

Вдруг Малдеру вновь послышалось знакомое шуршание, сопровождаемое громким рычанием. Он пристально вглядывался в темноту, пытаясь определить источник этих звуков, но опять не заметил ничего, кроме неподвижных теней. Чуть дыша и напрягая внимание, он ждал.

Наконец, когда Малдер почти убедил себя, что все эти подозрительные звуки лишь плод его воображения, ему удалось уловить в лунном свете какое-то странное молниеносное движение на опушке леса. Он повернулся в ту сторону, пытаясь разглядеть хоть что-нибудь при таком слабом освещении. Среди высоких деревьев, опутанных завесами ползучих растений, он увидел необычайное существо, абсолютно бесшумно прокладывающее себе путь волнообразными скользящими движениями огромного змеевидного тела.

Малдер не сумел сдержать потрясенного возгласа, и неведомый зверь быстро обернулся в его сторону. Он увидел яркий блеск горящих круглых глаз и сверкание невероятно длинной и легкой чешуи, словно лунный свет отражался в вертикальном ряду длинных зеркал, соединенных друг с другом подобно черепице.

Затем, хлестнув по воздуху легким ударом

гибкого хвоста, чудовище исчезло во мраке ночи. Малдер ждал долго, но больше не ощущал никаких признаков его присутствия. Один раз далеко в джунглях он услышал треск ветки, но это могло быть совсем другое животное...

Наконец он заполз обратно в палатку и лег, возбужденно переживая увиденное. Малдер пытался понять, что это было и было ли вообще.

Сон долго не шел к нему...

18

Руины Кситаклана.
Понедельник, на рассвете

Как и предсказывал Агилар, рабочие отсутствовали всего один день. На следующее утро, уже тщательно выбритый, гид сидел у остывшего костра, покуривая только что свернутую папиросу и, нахмурившись, следил за индейцами, которые, понурив головы, робко пересекали площадь. Выбравшись из своей палатки, Малдер увидел их, уже стоявших как ни в чем не бывало около лагеря, словно рабочие, явившиеся на утреннюю смену. Владимир Рубикон, видимо, встал уже давно и ползал на коленях вокруг ближайшей, обвитой змеем стелы, лежащей у палаток, отковыривая перочинным ножом мох и грязь, чтобы лучше рассмотреть письмена.

— А, агент Малдер, уже проснулись, — сказал он. — Сегодня нам обязательно нужно найти какие-нибудь следы того, чем занимались моя дочь и остальные члены ее команды. Они наверняка нашли что-нибудь значительное в этих руинах. Если мы тоже это обнаружим, то поймем, почему они исчезли.

Услышав их голоса, из палатки показалась Скалли:

— Доброе утро. Малдер, ты уже готовишь завтрак?

— Могу предложить только омлет и молоко, — отшутился он.

Агилар помахал в воздухе рукой, разгоняя дым своей вонючей папиросы, и набросился с руганью на индейцев; Малдер не понимал ни слова, но в тоне гида явно слышалось презрение.

— Что он говорит? — спросила Скалли. — Что они сделали?

Владимир Рубикон с минуту прислушивался, затем покачал головой:

— Это скорее всего язык майя. Многие местные жители до сих пор еще говорят на древнем языке. — Он пожал плечами. — Гм, я не думаю, что они совершили что-нибудь ужасное, кроме того, что сбежали накануне. Просто Агилар хочет продемонстрировать свой авторитет.

— Когда-то у меня был такой же босс, — сказал Малдер.

Подошел Агилар с удовлетворенной усмешкой на гладко выбритом лице.

— Доброе утро, amigos, — приветствовал он их. — Сегодня мы должны разгадать тайну покинутого Кситаклана, а? Нам предстоит узнать, что случилось с прелестной сеньоритой Рубикон и ее компаньонами.

— Вы об этом расспрашивали местных? — спросила Скалли, кивнув в сторону пристыженных руганью Агилара индейцев.

— Они говорят, что сеньориту Рубикон взяли духи этого города. Старые боги давно не получают кровавых жертв и жаждут их. Поэтому местные жители обходят руины стороной. Но ведь эти люди не такие цивилизованные, как вы и я. Они даже и не пытаются притворяться.

— Но неужели ни один из этих рабочих не остался здесь помочь археологам? — требовательно спросила Скалли. — Кто-то должен знать.

— Сеньорита Скалли, я привел партию в Кситаклан, за что мне заплатили много американских денег, и я очень доволен. Эти индейцы, потомки майя, сказали, что после моего ухода здесь было очень много громких звуков, странных вещей. Они боялись, а сеньорита Рубикон и ее друзья смеялись над их глупостью. Они говорят, что боги показали, кто глупый, а кто умный.

— Весьма своеобразный тест на проверку интеллекта, — пробормотал Малдер.

Агилар стал рыться в карманах в поисках бумаги и табака, чтобы свернуть новую самокрутку. Небольшая изящная птичка с зеленым оперением с мелодичным пением пролетела над площадью. Индейцы следили за ней, подняв головы и подталкивая друг друга.

— Смотрите, птица кецаль, — сказал Агилар и поправил поля шляпы, защищая глаза от косых лучей утреннего солнца. — Очень редкая и ценная, майя использовали ее перья для церемониальной одежды.

Рубикон нахмурился и стал оглядываться, словно ожидая увидеть дочь. Малдер с нарастающим раздражением повернулся к Агилару:

— Так они знают, что случилось с Кассандрой или нет?

— Лично мне известно, что сеньорита Рубикон была здорова и очень увлечена предстоящей работой, когда я покинул их, чтобы вернуться в Канкун.

— Давайте же наконец примемся за поиски, — проворчала Скалли.

— Руины могут протянуться на целую милю и больше, — сказал Рубикон, — отдельные храмы разделяют густые заросли.

— Объясните индейцам, что мы ищем, — предложила Скалли. — Пусть они помогут нам прочесать местность.

Агилар отдал приказание, и индейцы рассыпались по джунглям, оживленно перекликаясь.

Скалли, Малдер и Рубикон бродили по гигантскому полю для игры в мяч, исследуя углубления и ниши в окружавшей его стене в поисках какого-нибудь намека на то, что Кассандра и ее друзья просто отправились добывать себе пищу.

— Их партия состояла из двух археологов, инженера, эпиграфиста и фотографа, — сказала Скалли. — Ни одного специалиста по выживанию в экстремальной ситуации. — Она обвела взглядом зеленеющую под ярким солнцем буйную растительность. — Если рабочие разбежались, то мне не верится, что Кассандра и ее друзья решили самостоятельно пробираться через джунгли. Я бы не решилась углубляться в лес без проводника. И они просто остались бы здесь работать.

— Кассандра вполне способна справиться с трудностями, — сказал Рубикон. — У нее достаточно здравого смысла, а кроме того, у них была топографическая карта.

Скалли понизила голос:

— Кстати, вчера вечером я изучала карты и не уверена, что Агилар привел нас сюда кратчайшим путем. Думаю, по каким-то причинам он специально нас задерживает.

— Я тоже не очень доверяю ему, — сказал Малдер, — но он производит впечатление скорее обыкновенного назойливого торговца подержанными машинами, чем преступника.

— Помните, что это дикая страна, агент Малдер, — сказал Рубикон. — Однако если индейцы покинули их, то через некоторое время Кассандра была бы вынуждена принять решительные меры. Они бы нашли какую-нибудь возможность вернуться к цивилизации.

— Значит, сначала ушел Агилар, оставив индейцев здесь, потом убежали индейцы, — задумчиво сказала Скалли. — Может, здесь уже тогда начиналось землетрясение?

Рубикон кивнул:

— Надеюсь, именно это и произошло.

— Или у них кончилось продовольствие, — продолжала рассуждать Скалли. — Тогда им ничего не оставалось, как двинуться в джунгли.

— Но ушли бы они в этом случае все вместе? — спросил Малдер. Он постукивал пальцами по плите с резными иероглифами. В трещину быстро скользнуло крошечное существо. — Было бы больше смысла, если бы, скажем, двое отправились за помощью, а двое остались здесь.

— Ты же видел, как трудно продвигаться по джунглям, — возразила Скалли. — Может, она решила, что надежнее держаться всем вместе.

— Все равно это неправильное решение, — сказал Малдер.

Рубикон покачал головой. Его пегие волосы слиплись от пота и плотно облепили череп.

— Лично мне больше нравится предположение Скалли, надеюсь, оно оправданно, потому что тогда остается надежда.

Неподалеку в джунглях вдруг раздался возбужденный крик. Один из индейцев громко скликал к себе людей.

— Бежим! — воскликнул Малдер. — Они что-то нашли.

Владимир Рубикон, пыхтя и отдуваясь, старался не отставать, когда они бежали, преодолевая деревья, громоздящиеся кучи камней, перебирались через ручей. Малдер на бегу заметил крупное животное; оно уносилось от них, с шумом ломая кустарник. Он не смог его разглядеть, но почувствовал внезапный озноб. Что, если сейчас он упустил возможность получше рассмотреть одно из тех скользких существ, которые словно привиделись ему прошлой ночью... Может быть, реальное существование грозного хищника и было основанием для многих легенд майя, и именно он и был причиной исчезновения десятков людей... включая и Кассандру с друзьями.

Они торопливо подошли к небольшому храму, размерами не превышавшему обыкновенный гараж. Весь заросший цепкой растительностью и, безусловно, построенный в те же давние времена, что и Кситаклан, он тем не менее выглядел достаточно крепким. Большая часть окружавшего его кустарника была вырублена, ползучие растения сорваны, чтобы освободить каменные стены.

Возле входа в храм стоял перепуганный индеец, которого Агилар с побагровевшим от гнева лицом тряс за плечи. Но как только он увидел приближающихся американцев, выражение его лица волшебным образом изменилось. Он поднял валявшуюся на земле шляпу.

— Посмотрите, что мы нашли друзья! — вскричал гид. — Снаряжение, сложенное партией сеньориты Рубикон.

В храме, помещении с низким потолком, были спрятаны несколько укрытых брезентом корзин. Агилар поддел палкой угол брезента и сдернул его, чтобы показать содержимое тайника.

— Сеньорита Рубикон, наверное, оставила эти корзины здесь, чтобы уберечь от диких животных, и, хотя остальное снаряжение исчезло, вот это кажется нетронутым. Какая удачная находка!

— Но зачем она оставила все это здесь? — тихо спросила Скалли.

— Смотрите, запас продовольствия и радиопередатчик, — сказал Агилар. — И в этой большой коробке тоже что-то есть.

Он подозвал рабочего, чтобы тот помог открыть крышку.

— Малдер, — сказала Скалли, понизив голос, — ты понимаешь, что это значит? Кассандра не могла уйти, оставив все это. Такого запаса еды хватит на месяц, а радиопередатчик им пригодился бы, чтобы вызвать помощь.

Владимир Рубикон нетерпеливо бросился к ящику, оттолкнул рабочего плечом и, вцепившись в крышку пальцами, стал изо всех сил тянуть ее на себя, в то время как Агилар, украдкой озираясь, сделал несколько шагов назад.

Увидев содержимое ящика, Скалли поразилась.

— Это же водолазный костюм и шланг, — в

недоумении произнесла она. — Значит, Кассандра собиралась исследовать сенот?!

— В этом был бы большой смысл, с точки зрения археолога, — сказал Рубикон. — Вещи на большой глубине могут сохраняться веками. Да, она действительно хотела спуститься вниз, моя Кассандра, прямо как Томпсон.

Скалли отмахнулась от комаров.

— Кто этот Томпсон? Я не помню никого из их партии с такой фамилией.

Оторвавшись от изучения содержимого ящика, Рубикон рассеянно взглянул на нее.

— Кто? О, Томпсон, — нет, я имел в виду Эдварда Томпсона, последнего из любителей-археологов на Юкатане. Он много лет исследовал сеноты в Чичен-Ице, где обнаружил самые замечательные сокровища ручной работы майя.

Малдер со скептическим выражением лица поднял гибкий прорезиненный воздушный шланг.

— Он спускался в такой же глубокий колодец, как тот? — Он кивком указал в сторону главной площади и высокой пирамиды.

Рубикон отрицательно качнул головой:

— Гм, сначала нет. В течение нескольких лет он вычерпывал бадьей наверх жидкую грязь, давал ей просохнуть и потом тщательно просеивал ее. Он обнаружил человеческие кости, кусочки ткани и осколки нефрита, несколько неповрежденных черепов, один из которых, видимо, служил кадилом во время церковных обрядов, он даже сохранил запах каких-то благовоний.

Но через какое-то время Томпсон понял, что трудоемкое вычерпывание не даст тех результатов, которых может достигнуть водолаз. Он мечтал о том, чтобы организовать специальную экспедицию, купить снаряжение, овладеть водолазной техникой, и даже обучил четырех рабочих-индейцев обращению с лебедкой и воздушным шлангом.

Рубикон посмотрел на водолазный костюм, который собиралась использовать его дочь, и сдержал внезапную дрожь.

— Когда Томпсон спускался в сенот, индейцы торжественно попрощались с ним, уверенные в том, что никогда больше его не увидят. По словам ученого, он пролетел, как мешок со свинцом, тридцать футов вниз и оказался в такой черной воде, что его фонарь был бессилен рассеять темноту. На дне в грязной тине он на ощупь искал монеты, нефрит, статуэтки и предметы из каучука.

Но несмотря на скафандр, Томпсон после этого погружения получил серьезную травму среднего уха. Местные индейцы смотрели на него с благоговейным ужасом — ведь он был единственным человеком, который побывал в священном сеноте и остался жив.

— И вы считаете, что ваша дочь собиралась пойти по его стопам и исследовать сенот Кситаклана? — спросила Скалли.

Малдер перебирал снаряжение, упакованное в деревянные ящики:

— Однако не похоже, чтобы она им пользовалась. Еще не оторваны заводские этикетки.

— Значит, им помешали закончить исследования, — проронил Рубикон.

Малдер перехватил злобный взгляд, брошенный Фернандо Агиларом на индейца, который, сгорбившись, пробирался к выходу из храма, и громко сказал:

— Да, но кто или что им помешало?

Скалли, Малдер и Рубикон поднимались втроем по ступеням центральной пирамиды Кукулькана. В знойном и влажном воздухе дышалось трудно, а ступени были крутыми, узкими и неровными.

— Осторожно, — предупредил спутников Малдер, — здесь выпала плита.

Рубикон наклонился и осмотрел выветренные ступени, после чего указал на резьбу, очищенную от мха и грязи, а также на щели между плитами, из которых были тщательно выметены пыль и мелкая известняковая крошка.

— Смотрите, ребята из группы Кассандры очистили первые двенадцать ступеней. Если бы можно было расшифровать эти письмена, мы бы узнали, почему майя построили здесь Кситаклан, что сделало это место особо почитаемым и священным. — Он выпрямился, потирая поясницу. — Но, к сожалению, я не эксперт в этой области. В мире можно насчитать всего несколько специалистов. Иероглифы майя относятся к одной из самых сложных письменностей человечества, которые когда-либо пытались расшифровать. Вот почему Кассандра пригласила в партию эпиграфиста.

— Да, Кристофера Порта, — вспомнила Скалли.

— Насколько я знаю, он прекрасный специалист, — сказал Рубикон.

— Давайте все же посмотрим, что на вершине пирамиды, — предложил Малдер и двинулся дальше.

— Скорее всего открытый ветрам храм, — ответил Рубикон. — Верховный жрец с верхней площадки, вероятно, наблюдал за восходом солнца перед совершением обряда.

Добравшись до самой вершины пирамиды, Малдер остановился, подбоченившись, и, восхищенно вздохнув, оглядел раскинувшуюся перед ним панораму.

Джунгли Центральной Америки ярким пышным ковром простирались, насколько хватал глаз. В отдалении над сплошными волнами зелени подобно гигантским надгробиям высились каменные величественные руины храмов.

— Прошлое еще властвует здесь, — прошептал Рубикон.

Малдер представлял себе, что жрецы майя, должно быть, чувствовали себя подобными богам, находясь так близко к небесам под лучами утреннего солнца. Внизу толпы людей собирались после работы в джунглях, где они вырубали, а потом выжигали поляны, чтобы посеять маис, бобы и перец. Жрец стоял здесь, на вершине пирамиды, возможно, рядом с одурманенной зельем или ослепленной жертвой, готовый пролить кровь в угоду богам.

Фантастические видения Малдера оборвал отчаянный крик Рубикона, который сложил ладони рупором и позвал:

— Кассандра!

Его голос эхом разнесся по окрестностям, вспугнув птиц.

— Кассандра! — снова воззвал несчастный старик.

Рубикон замер, напряженно вслушиваясь. Малдер и Скалли стояли рядом, всматриваясь в джунгли. На глаза старого археолога навернулись слезы.

— Я должен был попытаться, — смущенно сказал он и отвернулся к колоннаде храма.

Малдер обратил внимание на искусную резьбу по камню и следы краски, все еще сохранившейся в щелях между блоками.

Строители Кситаклана многократно воспроизводили в орнаментах Пернатого Змея, создавая двойственный облик властного и раболепного существа. Другие рисунки изображали высокого человека, безликого, в странных доспехах или костюме, скрывающем тело, с языками вырывающегося из-за его фигуры пламени. На голове круглый предмет, который выглядел очень похожим на...

— Скалли, тебе эта фигура ничего не напоминает?

Она сложила руки на груди и покачала головой.

— Уж не собираешься ли ты связать древних астронавтов с исчезновением людей, а, Малдер? — спросила она.

— Только если увижу доказательства собственными глазами, — тихо сказал Малдер. — Может быть, Кассандра обнаружила нечто, что другие не хотели раскрывать.

— Это Кукулькан, — пояснил Рубикон, не слыша Малдера, который отошел к другим изображениям.

Они представляли странных очертаний корабль со спиралеобразными конструкциями, которые легко можно было принять за части неизвестного механизма.

— Могущественный и мудрый, он принес знания с неба. Он украл у богов огонь и передал его людям, — продолжал Рубикон.

Малдер многозначительно взглянул на Скалли.

— Это всего лишь миф, — сказала она.

Рубикон нацепил на нос очки, затем, осознав их бесполезность, снова снял.

— Бог ветра, хозяин жизни, в начале времен Кукулькан принес народу майя цивилизацию.

Он научил их обращаться с металлами. Он был покровителем всех искусств.

— Прямо парень из эпохи Ренессанса, — заметил Малдер.

— Кукулькан правил много веков, пока его враг Тецкатлипока не вытеснил его, тот самый, гм, парень, чье тело издавало такой смертоносный запах. Кукулькан вынужден был вернуться на родину, поэтому он сжег свои дома, построенные из серебра и перламутра, и отплыл под парусами за море на восток. Кукулькан исчез, пообещав людям однажды вернуться.

Сердце Малдера возбужденно забилось. «Серебро и перламутр» могли означать «металл и стекло», а добавив пламя за спиной Кукулькана, он получил изображение ракеты или космического корабля.

— Народ майя был настолько убежден в правдивости своих легенд, — продолжал Рубикон, оглядывая горизонт, — что устроил посты для наблюдения за восточным побережьем, гм, в ожидании Кукулькана. Когда на своих высоких галеонах появились испанцы в сверкающих доспехах, индейцы были уверены, что это вернулся Кукулькан. Людей в серебристых костюмах легко было по ошибке принять за астронавтов.

— Пожалуйста, твое мнение, Малдер, — сказала Скалли. — Я знаю, тебя бесполезно отговаривать от твоей теории. Но у нас по-прежнему остается ненайденной партия археологов. Что, по-твоему, боги майя и древние астронавты должны были сделать на нашем месте?

— Ничего, я уверен, Скалли, — ответил Малдер тоном, означающим совершенно противоположное, а про себя улыбнулся: — Совсем ничего.

19

*Руины Кситаклана.
Понедельник, 15.10*

На обратном пути, который они проделали, спускаясь вниз по другой стороне пирамиды, где ступени были еще более разрушенными, Рубикон указал на изукрашенные резьбой плитки, грубо выбитые киркой или долотом и обнажившие пустую нишу, где могли храниться фигурки из нефрита и другие ценности.

— Эти вещицы, — с отвращением произнес он, — скорее всего оказались на черном рынке в Канкуне или Мехико, где их покупают коллекционеры произведений искусства доколумбового периода или просто люди, которые хотят иметь то, чего ни у кого нет. Кассандра могла пуститься в погоню за похитителями.

— Но эта местность так изолированна и труднодоступна, — возразила Скалли, одолевая вслед за ним последние ступени. — Каким образом эти изделия могут попасть на рынок?

По-видимому, здесь у них существует своя система доставки.

— Я бы не доверил их подобным типам. У него же явно темное прошлое. — Рубикон повел бровями в сторону Агилара, который спешил к ним навстречу через площадь, отшвырнув самокрутку.

— Нашли что-нибудь, amigos? — угодливо спросил он.

В ярко-голубых глазах Рубикона полыхнуло негодование.

— Сегодня мы сами хорошенько прочешем местность. Но если до завтра не найдем никаких следов, то воспользуемся радиопередатчиком Кассандры, свяжемся с мексиканскими властями и потребуем немедленной помощи. Они могут прислать своих следователей и представителей службы безопасности. Но службы национальной, а не местной, так как местные службы, по всей видимости, работают на черный рынок. — Он нахмурился. — Уже много ценностей вынесено отсюда незаконно.

Агилар смотрел на него со смешанным выражением злобной досады и оскорбленной гордости:

— То, что вы видели, могло быть сделано искателями сокровищ задолго до нас, сеньор Рубикон. Кситаклан не охраняется много-много лет.

Рубикон свирепо уставился на него:

— Мистер Агилар, любой, имеющий глаз,

может увидеть свежие следы. Я знаю, что эти вещи извлечены совсем недавно, не более нескольких месяцев или недель назад.

Агилар, поджав губы, скрестил руки на груди:

— Так, может быть, археологическая партия вашей дочери и взяла самые ценные находки, а? Ведь они работают на американские музеи, не так ли?

Рубикон наклонился к Агилару, выставив взъерошенную бородку:

— Моя Кассандра и люди из ее партии никогда не сделают ничего подобного. Они понимают историческую ценность этих изделий, особенно тех, которые должны оставаться на месте для дальнейшего изучения.

— Я чувствую, что вы не доверяете мне, сеньор Рубикон, — примирительным тоном произнес Агилар, теребя свою шляпу. — Но мы должны работать вместе, а? Здесь, в Кситаклане, мы отрезаны от всех. Нам следует понимать это и не начинать вражду. Если мы не станем действовать заодно, это может оказаться опасным.

Скалли направилась к лагерю, а тем временем спор между Рубиконом и длинноволосым гидом-мексиканцем становился все ожесточеннее. Она сняла рюкзак и бросила его рядом с палаткой. Несмотря на то, что день был в самом разгаре, индейцы опять бесследно исчезли. Скалли почувствовала смутную тревогу.

Она остановилась у ближайшей стелы, стала

рассматривать при свете дня изображение Пернатого Змея и тут заметила, что выветренный известняк странным образом изменился. Изображение было забрызгано темно-красной жидкостью, похожей на краску, которая капала с лап крупного Пернатого Змея. Она приблизила лицо, заинтересованная и встревоженная одновременно.

Кто-то втирал кровь в каменную пасть змея, словно давая изображению попробовать ее на вкус... недавнее жертвоприношение! Скалли проследила взглядом, как капли крови падают вниз, к подножию стелы, на разбитые плиты...

— Малдер! — в ужасе закричала она.

Ее партнер кинулся к ней с искаженным тревогой лицом. Рубикон и Агилар, раскрасневшиеся от спора, застыли, обернувшись в ее сторону.

Скалли показала Малдеру полосу крови на стеле, а потом — отрезанный человеческий палец, лежавший на плите в луже крови.

Побледневшее лицо Малдера исказила гримаса отвращения.

Агилар и Рубикон тоже подошли и молча уставились на ампутированный палец.

— Видно, это произошло совсем недавно, — сказала Скалли. — Не более часа назад. Кровь совсем свежая.

Малдер тронул липкую красную жидкость.

— Только начала засыхать. Это должно было случиться, когда мы были наверху, хотя я не слышал никаких криков. Агилар, вы же были здесь.

— Нет, я был в джунглях. — Он в тревоге покачал головой и снял шляпу, словно прощаясь со старым другом. — Я боялся этого, очень боялся. — Он понизил голос, оглянулся украдкой и прищурился, как будто опасался, что индейцы с опушки леса наблюдают за своей потенциальной жертвой, после чего повторил: — Да, очень боялся.

Агилар обошел вокруг стелы, делая вид, что ищет другие следы.

— Религия майя очень древняя. Они исполняли свои ритуалы за тысячу лет до того, как белые исследователи только ступили на наши берега, и они стали более жестокими, когда смешались с тольтеками. Народ не так просто забывает свою веру, а?

— Минуточку, — сказала Скалли. — Вы хотите сказать, что некоторые из потомков майя все еще исповедуют старую религию? Продолжают вырезать сердца и бросать людей в священные колодцы?

Ей стало не по себе, когда она представила, что Кассандра и ее коллеги стали жертвами кровавого ритуала.

— Что ж, многие еще действительно помнят ритуальные песнопения тольтеков и соблюдают религиозные праздники, хотя большинство из них крещены или стали более цивилизованными. Но есть и такие, кто искренне верит в древних богов: они продолжают совершать кровавые жертвоприношения и наносить себе увечья, — сказал Рубикон. — Особенно в этой глуши, вдали от городов.

— Увечья? — спросил Малдер. — Вы хотите сказать, что один из этих индейцев отрубил свой собственный палец?

Рубикон кивнул, коснувшись кровавого пятна на камне:

— По-видимому, ножом из обсидиана.

Скалли пыталась представить, каким же сильным должен быть религиозный экстаз, если человек ножом из осколка камня отсек собственный палец, разрезав сухожилия и разрубив кость, и при этом даже не вскрикнул.

Рубикон продолжал бесстрастно давать свои пояснения, как будто еще не осознал, что Кассандра могла стать жертвой подобного жестокого обряда:

— Во время священных ритуалов майя и тольтеки проливали много крови, как своей, так и пленников. В самые важные моменты священных торжеств верховный жрец острейшим шипом прокалывал свою крайнюю плоть под набедренной повязкой.

Скалли услышала, как охнул Малдер.

— Кровь — могущественная сила, — согласился Агилар.

— Кровь, стекающая каплями на полоски бумаги из луба восьмилистного фикуса, оставляла на них причудливый рисунок. Некоторые жрецы по этим узорам умели предсказывать будущее. Потом полоски сворачивали и сжигали на костре, чтобы священный дым донес послание богам. — Рубикон поднял глаза к небу.

Скалли мрачно посмотрела на пятно крови:

— Если индеец отрубил палец каменным ножом, ему нужна медицинская помощь. После такой грубой операции человек легко может получить гангрену, особенно в тропическом климате.

Агилар достал из кармана уже скрученную цигарку и, не зажигая, сжал ее пальцами.

— Вы его никогда не найдете, сеньорита, — сказал он. — Этот человек убежал прочь, подальше от Кситаклана. Он принес жертву стражам Кукулькана, но теперь, когда мы узнали, что он приверженец древней религии, мы его никогда не увидим. Народ майя хорошо помнит свою историю. Они до сих пор боятся белых людей и гонений за старую веру. Они помнят одного из первых здешних губернаторов. Его звали отец Диего де Ланда. Палач.

Рубикон брезгливо хмыкнул, всем своим видом давая понять, что согласен с подобной оценкой:

— Он был францисканским монахом, и по его приказу сносились древние храмы, стирались с лица земли гробницы. Если кого-нибудь уличали в поклонении идолам, того нещадно секли, выкручивали на дыбе суставы рук и ног, обваривали кипятком.

Агилар энергично кивал, радуясь, что старый археолог снова на его стороне:

— Да, отец де Ланда нашел индейцев, которые умели читать древние письмена, и пытался с их помощью расшифровать иероглифы. Но для него все это было противно слову Господа, а? Греховным. Когда они показали ему тайник, где были спрятаны завернутые в шкуру ягуара тридцать книг, изукрашенные изображениями Пернатого Змея, он решил, что в них содержится ложное учение дьявола, и велел их все сжечь.

Рубикон с болью слушал историю утраты столь драгоценных исторических свидетельств.

— Де Ланда замучил пять тысяч индейцев, кроме того, убил около двухсот человек, прежде чем его выслали в Испанию за чрезмерную жестокость. В ожидании суда он написал большой трактат, детально описав все, что узнал о религии майя.

— А его признали виновным в бесчеловечной жестокости? — спросила Скалли.

Агилар высоко поднял брови и расхохотался:

— Нет, сеньорита! Его вернули на Юкатан, на этот раз в качестве епископа.

Рубикон опустился на колени перед испачканной кровью стелой и, размышляя, внимательно рассматривал ее. Скалли отбросила в сторону отсеченный палец. «Если некоторые из этих людей до сих пор исполняют древние обряды, то кто может стать очередной жертвой?» — думала она.

20

Джунгли Юкатана.
Граница Белиза и Мексики.
Вторник, 0215 по военному времени

Неведомые, непроходимые враждебные джунгли были препятствием, которое предстояло преодолеть, но майор Джейкс не испытывал ни малейшего сомнения в том, что его отборное подразделение успешно справится с трудностями. Это была их миссия, и они должны ее выполнить.

В его команде было десять солдат, одетых в пятнистую камуфляжную форму и оснащенных приборами ночного видения. Тайно приземлившись на безлюдном побережье у северной границы Белиза, они стремительно пересекли ее и двинулись по суше на двух армейских вездеходах.

Самой трудной оказалась первая часть пути. Стараясь остаться незамеченными, они миновали край залива Байя-Четумал, пересекли несколько пустынных ночью дорог, преодолели мост через узкую лагуну Бакалар и лишь после этого углубились в непроходимые дебри Кинта-на-Роо.

Здесь, за плотной завесой растительности, по очень подробной карте они выбрали маршрут, который позволил бы им продвигаться, минуя населенные районы и не обнаруживая себя. Впрочем, это было несложно, так как большая часть местности, отделявшей их от цели — источника запеленгованного сигнала огромной мощности, — по всем признакам была совершенно необитаема: ни дорог, ни деревень, майор всегда предпочитал такой путь.

Они должны были, не снижая темпа, за один день пройти незамеченными через джунгли и достичь секретной военной базы как раз к наступлению следующей ночи, с тем чтобы уничтожить ее и сразу отправиться в обратный путь.

Вездеходы сминали сопротивляющуюся растительность, с треском прокладывая дорогу через лес. Даже если кто-нибудь и заметил бы их, солдаты успели бы уйти достаточно далеко, прежде чем за ними организовали погоню. Тугие, защищенные броней колеса вездеходов благодаря двум ведущим осям легко и плавно лавировали по джунглям, ломая неуступчивый кустарник.

Половина команды Джейкса расселась по вездеходам, а остальные энергично двигались за машинами по прокладываемой ими тропе. Они менялись каждый час, и тогда первая группа шла пешком. Джейкс по опыту знал, что это самый эффективный и безопасный способ достичь цели.

Их операция официально нигде не значилась, так же как секретный склад оружия или незарегистрированная военная база в джунглях Юкатана.

Майора Джейкса не смущал тот факт, что им приходится вмешиваться в подобные дела. Его приказы были прямолинейны и четки. Он никогда не задавал вопросов, если они не касались задания, а члены его команды спрашивали еще меньше.

Благодаря рассеянному зеленоватому свету приборов ночного видения окружающий пейзаж казался зыбким и нереальным. Новичку в таких условиях сориентироваться было бы трудно. Но не майору и его коммандос.

Они не раз незаконно и скрытно проникали на чужую территорию и уничтожали секретные объекты, которые как бы и не существовали. После операции, проведенной майором Джейксом и его командой, они действительно переставали существовать.

Майор сидел в переднем вездеходе. Водитель, младший лейтенант, вел машину с предельной скоростью, которая была возможна в непроходимом лесу. Он освещал дорогу ярким ртутным лучом и внимательно высматривал неожиданные препятствия. Таким образом, им почти не приходилось уклоняться от курса, и они продолжали настойчиво продвигаться вперед.

«Делай все как следует с первого раза», — всегда говорил майору его отец, и маленький Виллис Джейкс научился следовать этому правилу. В детстве для него не было более страшного испытания, чем повторять домашнее задание в присутствии строгого и неумолимого отца.

— Жизнь не прощает, — говорил старший Джейкс сыну, — лучше запомни это, пока ты юн.

Джейкс провел много часов, неподвижно стоя у стены, размышляя о своих школьных оценках. Он научился полностью концентрироваться на цели, то есть делать все как следует с первого раза.

Луч света проникал сквозь густую листву джунглей, слегка колышущуюся от незаметного дуновения ветерка. Внезапно Джейкс увидел пару ярких светящихся глаз — глаза хищника, притаившегося высоко на дереве. Лейтенант повел фонарем, пытаясь уловить движение зверя — и гладкая пятнистая кошка умчалась по веткам прочь. Джейкс знал, что остальные девять солдат автоматически схватились за оружие, собираясь пристрелить ее. Но, вероятно, полный желудок удачно поохотившегося ягуара не располагал того к нападению, и он исчез в темноте.

Они ехали в молчании, едва удерживались на сиденьях, так как машинам приходилось то въезжать на высокие груды камней и поваленные деревья, то, опасно накренившись, скатываться с них вниз. У Джейкса болели ребра, булькало в животе. Конечно, тряская езда не более удобна, чем пеший ход по неровной тропе, однако это давало возможность отдохнуть измученным ногам.

На одно из своих заданий в Южной Боснии он взял в свою группу новичка-радиста, которому казалось, что, непрерывно болтая целыми днями, он выполняет обязанности связиста. Джейкс и его команда любили тишину, чтобы полностью настроить все чувства и рефлексы на выполнение задачи. А этот парень постоянно болтал о чем угодно: о своей семье, об университете, где учился, о книгах, которые читал, о погоде, наконец.

Майор Джейкс сразу понял, что они не сработаются с новичком. Он даже уже решил попросить о замене, но связист был убит снайпером, когда они уходили от взорванной ими ретрансляционной станции.

Разумеется, об этих акциях коммандос не сообщалось в средствах массовой информации. Родителям парня объяснили, что он погиб в Алабаме в результате несчастного случая во время учебных тренировок по специальной программе. К счастью, его родители состояли в партии «Звезды и полосы, Бог и яблочный пирог», и им в голову не пришло потребовать расследования. В противном случае скрыть тайну гибели их сына оказалось бы намного сложнее.

Сейчас, пробираясь по джунглям, остальные члены команды, как обычно, хранили молчание. Каждый про себя размышлял о миссии в Кситаклане, продумывал все детали, шаг за шагом. Они были профессионалами, и Джейкс знал, что может на них положиться.

Сидящий позади майора специалист-подрывник пыхтел, сжимая и разжимая ладони, проделывая бесконечный комплекс изометрических упражнений, благодаря которым постоянно держал себя в отличной форме. Джейкс не мешал ему, зная, что в деле он будет безупречен.

Майор посмотрел на часы и приказал ненадолго остановиться.

— Пора поменяться местами, — сказал он, — но сперва давайте настроимся на сигнал и определим его отправную точку.

Новый офицер-связист установил на втором вездеходе пеленгатор. Затем протянул антенну в сторону от вездехода и стал крутить рычажок регулирования частот, пока не поймал пульсирующий сигнал, который не могли расшифровать даже лучшие дешифровальщики Пентагона.

Сигнал звучал громко и ясно, словно по радио передавали грохот работающего на сверхзвуковой частоте отбойного молотка. Майор никак не мог представить, кто мог посылать этот сигнал и кому. Он звучал как сирена, как предупреждение, как призыв SOS. Но что это могло означать? До сих пор никаких ответных сообщений не поступало.

— Мы на верном пути, майор, — доложил специалист по связи. — Сигнал сильный и громкий, и его координаты не изменились. Судя по этой топографической карте, мы уже отошли на пятнадцать километров от скоростного шоссе Мехико-307.

— Хорошо, — сказал майор. — Значит, мы идем быстрее графика. Это поможет нам на рассвете. — Он спрыгнул на землю и потянулся, разминая ноги. — Вторая команда, по машинам.

Вторая часть команды расселась по местам, а майор, младший лейтенант и еще трое солдат двинулись вслед за вездеходами. Новые водители немедленно стартовали, и машины рванулись вперед. Майор Джейкс с трудом шагал по прокладываемой ими тропе, держа автомат наготове. Он и его команда были Хорошими ребятами, им дали приказ разбить Плохих ребят, и они сделают это без рассуждений и сожалений. Он не знал, действительно ли ставка настолько высока, что его действия могут спасти мир, но такая ситуация могла возникнуть в любой момент. Майор Джейкс каждое задание считал тем самым Особым случаем.

Ему вспомнились фильмы про Джеймса Бонда, банальные приключения секретного агента, которые были так нелепы и в то же время так неинтересны по сравнению с его собственными миссиями. В каждом из этих фильмов обязательно присутствовал одержимый манией величия гений, стремящийся к мировому господству, и в каждом фильме обязательно существовала странная, неприступная крепость, затерянная в дикой пустынной местности.

Пока коммандос продолжали свой трудный путь по джунглям, все более приближаясь к источнику таинственного сигнала, майор Джейкс размышлял, какой безумец выбрал безбрежные джунгли Центральной Америки, чтобы спрятать здесь свою твердыню, почему он решил соорудить суперсекретную базу в древних руинах майя.

Впрочем, это не имело значения. Его команда уничтожит Кситаклан и людей, которых там обнаружит, а потом они вернутся домой. Майор Джейкс не думал о том, что выходило за рамки приказа.

Они шагали, миля за милей, все дальше углубляясь в джунгли. И с каждым шагом звук таинственного сигнала становился все громче.

21

*Руины Кситаклана.
Вторник, 7.04*

Скалли проснулась после очередной душной ночи, наполненной непрерывным жужжанием и писком насекомых и тревожным шорохом леса, и лежала в спальном мешке, решая, то ли поваляться еще несколько минут, то ли подняться и смело встретить новый день.

Все тело зудело от укусов насекомых; она достала из косметички крем и смазала кожу рук и шеи. Затем откинула полог палатки и выглянула наружу в туманное утро.

Лагерь был тихим и задумчивым, он словно затаил дыхание. Скалли обошла вокруг потухшего костра с кучкой серовато-белого пепла. В палатке Малдера слышалась тихая возня, значит, он тоже проснулся и одевается. Но повернувшись к палатке Рубикона, она замерла от неожиданности.

Его палатка была обрушена и выглядела так,

будто гигантское животное втоптало ее в землю. Скалли встревоженно огляделась вокруг, защищая глаза от косых лучей утреннего солнца. Легкая дымка тумана смягчала очертания предметов. Но ни старого археолога, ни Фернандо Агилара, ни индейцев видно не было.

— Алло, доктор Рубикон! — громко позвала Скалли, потом подождала немного и снова окликнула его.

Малдер, потягиваясь, вылез из палатки.

— Кажется, доктор Рубикон пропал, — сказала Скалли. — Посмотри, что стало с его палаткой. Ты ночью ничего не слышал?

Малдер нахмурился:

— Может, он отправился искать дочь? Решил первым что-нибудь узнать.

Скалли сложила руки рупором и снова крикнула:

— Доктор Рубико-он!

В джунглях закричали потревоженные птицы. На опушке леса раздался треск ломаемых веток. Оба повернулись на шум, в тревоге ожидая, кто же появится из-за высокого и густого папоротника.

Появился Фернандо Агилар с группой индейцев-рабочих. Они улыбались, безмерно довольные собою, и несли привязанного к толстой ветке мертвого ягуара. Все они словно сошли со старинной иллюстрации, изображающей большую охоту.

— Смотрите, кого мы поймали, — сказал

Агилар. — Этот зверь бродил ночью около лагеря, но наши друзья убили его своими стрелами. Шкура ягуара очень ценится. — Агилар поднял брови. — Хорошо, что он был не настолько голоден, чтобы напасть на нас, а?

— Возможно, и был, — ответил Малдер и указал на изуродованную палатку: — Мы не можем найти доктора Рубикона.

— Вы уверены, что он не отправился на поиски? — спросил Агилар. — Я с моими друзьями был здесь до рассвета.

— Доктор мог пойти осматривать те развалины, которые мы пропустили вчера, — признала Скалли. — Почему же он не отзывается?

— Тогда надо поискать его, сеньорита, — ответил Агилар, — но я уверен, что с ним все в порядке. Мы ведь уже убили ягуара, а?

Индейцы с триумфом подняли шест. Пятнистая кошка беспомощно висела, вывалив язык, кровь еще сочилась из множества маленьких колотых ран.

Агилар задержал взгляд на мертвом хищнике.

— Мы сейчас займемся шкурой ягуара, — сказал он. — А вы идите вперед и поищите доктора Рубикона.

— Пойдем, Малдер, — сказала Скалли.

— Когда найдем старика, не будем укорять его за то, что он не хочет терять время, — сказал Малдер. — И давай разделимся, захватим территорию пошире. Я пойду внутрь старой пирамиды, знаю, он хотел туда проникнуть.

— Согласна. А я заберусь в верхний храм и погляжу оттуда. Может, увижу его.

Позади них, как раз перед парой стел, украшенных изображениями Пернатого Змея (Скалли подумала, не по религиозным ли причинам они выбрали это место), охотники положили тушу животного и достали каменные ножи, Агилар же раскрыл свой устрашающий охотничий нож, блеснувший острым лезвием. Они склонились над ягуаром и стали сдирать с него шкуру.

Скалли карабкалась по высоким полуобвалившимся ступеням по боковой стороне пирамиды. Руки и ноги болели после вчерашних поисков, но она упорно лезла все выше, хватаясь за обломки камней, словно взбиралась на утес. Воображение представляло ей, как величаво должны были выглядеть жрецы в мрачных одеждах, когда всходили к верхнему храму для совершения своих древних обрядов.

На площади у подножия пирамиды собирался народ, распевая обрядовые песни и ударяя оленьими рогами в барабаны из черепашьих панцирей. Люди были наряжены в красочные головные уборы из перьев тропических птиц и резные украшения из нефрита. Когда она достигла колонн храма на вершине зиккурата, то увидела место, где верховные жрецы могли наблюдать за ритуальным кровопролитием или даже принимать в нем участие. Из-за ступенчатой формы пирамиды стоявший внизу народ мог видеть только поднимающиеся руки, кровь, но не видел подробностей священного обряда.

Скалли тряхнула головой, словно отгоняя видения, и вспомнила слова доктора Рубикона, сказанные, когда он благоговейно созерцал окрестности Кситаклана: «Прошлое еще властвует здесь».

Скалли заслонила глаза от солнца, поглядела вокруг и закричала:

— Доктор Рубикон!

Ее голос разнесся окрест, как когда-то древний призыв жрецов к богам. Она посмотрела на окружающие ее рельефы, на стилизованные изображения бога Кукулькана, планы и непонятные диаграммы, которые, по мнению Малдера, были планами древних космических кораблей.

— Доктор Рубикон! — снова крикнула Скалли, всматриваясь в окружающие джунгли.

Внизу на площадке она увидела красное пятно на том месте, где индейцы и Агилар свежевали ягуара. Трое жилистых мужчин уносили в джунгли шкуру и кровоточащую тушу. Неужели они будут есть это мясо, ужаснулась Скалли.

Она с содроганием подумала о загадочном индейце, который в пылу религиозного фанатизма каменным ножом отрезал себе палец, и другое видение возникло перед глазами помимо ее воли: сейчас индейцы вырезают сердце ягуара и делят его на всех, вкушая кровавую плоть великого властелина джунглей.

Она снова встряхнула головой. Здесь, наверху пирамиды, она чувствовала себя одинокой и уязвимой.

Не обнаружив никаких следов пропавшего археолога, Скалли решила больше не звать его, вспомнив, как он окликал вчера отсюда свою дочь и ждал ответа, жадно всматриваясь вдаль. Кассандра не ответила на его зов, так же как молчит сегодня ее отец. Скалли оглядывала площадь вокруг пирамиды, но не видела ничего нового. Тогда она подошла к краю площадки и посмотрела вниз по другую сторону пирамиды. У нее внезапно перехватило дыхание.

Малдер просунул голову в пахнущий сыростью вход в пирамиду, вглядываясь в сумрак, царивший внутри. Он заметил следы рычага, которым Кассандра и ее помощники открывали вход в древнее сооружение. Они, конечно, старались действовать очень осторожно, но открыть разбухшую дверь было довольно сложно, и им пришлось разбить несколько каменных блоков.

Он включил фонарь, и его яркий луч, как копье, проник в таинственную темноту лабиринта, сооруженного пленниками майя. Свет ободрил его. Он порадовался тому, что недавно сменил батарейки.

Хотя пирамида и простояла тысячу лет, ее внутренние помещения не производили впечатления надежных и нерушимых, особенно после волнений первой ночи в Кситаклане. Отесанные вручную известняковые блоки начали крошиться по краям, их поверхность разрушалась влажными лишайниками и мхом.

Шаги Малдера эхом отражались от каменного пола. Он посветил фонариком вниз и увидел в пыли следы обуви, но нельзя было сказать, принадлежат ли они кому-нибудь из археологической партии, или грабителю гробниц, или старому Рубикону.

— Алло, доктор Рубикон, вы здесь? — крикнул Малдер, поводя фонарем в разных направлениях. Его слова вернулись к нему, усиленные эхом.

Малдер двинулся внутрь пирамиды, бросив взгляд назад, на ослабевающий луч дневного света у входа. Ему захотелось, чтобы у него в кармане оказались подсолнечные семечки или хлеб и он, как Мальчик-с-пальчик, отмечал бы крошками свой путь.

Где-то капала вода. Уголком глаза он вроде бы заметил какое-то движение, но когда, посветив фонарем в том направлении, увидел острую скакнувшую тень, то понял, что это был обман зрения. Его очень угнетали темнота и тяжелый застоявшийся воздух.

Благодаря судьбу за то, что он не страдает клаустрофобией, Малдер коснулся рукой кончика носа. Температура понизилась, словно какая-то таинственная сила поглотила все тепло из воздуха.

Вероятно, больше десятка веков прошло с тех пор, когда двери пирамиды открывались и впускали солнечный свет и свежий воздух. Поводя вокруг фонариком, Малдер заметил грубо отесанные стволы деревьев, поддерживающие потолок и, очевидно, недавно установленные археологами Кассандры. Должно быть, она отчаянно храбрая, подумал он, если решилась проводить здесь исследования, проникая все глубже и глубже, чтобы открыть тайну пирамиды.

— Эй, мистер Рубикон! — позвал он снова, не повышая голоса из опасения еще раз услышать испугавшее его в первый раз эхо.

Он посмотрел на пыль под ногами и вдруг заметил два маленьких отпечатка обуви, оставленных определенно не ботинками старого Рубикона, а женской ногой. Сердце обрадованно забилось. Кассандра побывала здесь!

Малдер стал еще осторожнее продвигаться вперед. Его пространственное мышление подсказало ему, что он приближается к центру пирамиды. Он находился глубоко, возможно, ниже уровня земли.

Внутренние стены новых коридоров отличались от прежних, сделанных из грубо отесанных известняковых глыб. Эти, слева от него, были темными, необычайно блестящими и гладкими, словно оплавленными. Что-то ему говорило о другой природе этих сооружений.

Он шел все дальше, касаясь рукой гладких стен. Упавшие сверху обломки каменных блоков завалили коридор и практически преградили проход к сердцу пирамиды. Малдер остановился, подумав было, что не туда повернул. Ни Владимир Рубикон, ни Кассандра не смогли бы преодолеть эту преграду. Но, вглядевшись внимательнее, он заметил в груде обломков узкую щель, через которую мог пробраться или очень худой, или вконец отчаявшийся человек.

Он подобрался к отверстию, чувствуя себя так, как будто непрошено вторгался в чье-то жилище. Храм поглотил все звуки и тепло. Свет фонаря проник в темный ход. Малдер встал перед ним на колени и позвал, чувствуя себя круглым дураком:

— Кассандра Рубикон, вы здесь?

Зрелище, открывшееся его глазам, поразило его. Свет фонаря плясал на гладких металлических стенах, отражаясь от них, освещая выгнутые детали облицовки из стекла или хрусталя. Сверхъестественное и совершенно неожиданное внутреннее убранство зала вызвало в нем дрожь первооткрывателя.

О чем подумала Кассандра, когда заметила эти удивительные изменения в структуре стен?

Образ Кукулькана заплясал в мозгу, Малдер попытался всмотреться в глубь помещения, но фонарик стал мигать. Он потряс его, чтобы восстановить контакты и получить стабильный луч света.

Они вернутся сюда и исследуют здесь все, как только обнаружат доктора Рубикона, думал Малдер. Может, старый археолог найдет объяснение. Правда, потребуется поработать, чтобы расширить ход.

Малдер услышал отдаленный голос и замер. Слова доносились из-за извилистых переходов храма. У него не было времени наслаждаться акустическим эффектом, так как он узнал голос Скалли, зовущий его откуда-то издалека.

Голос звучал тревожно, и это заставило его двигаться быстрее. Он спрыгнул с завала и помчался назад по коридорам, руководствуясь памятью. Фонарь освещал его путь; казалось, батарейки опять прекрасно заработали, стоило ему удалиться от центра пирамиды.

Скалли звала его снова и снова. Он уже точно различал ноты страха в ее голосе и ускорил бег.

— Малдер, я нашла его! Малдер!

Голос колоколом бился между стенами, и наконец впереди показался свет и в нем силуэт Скалли, стоящей у входа.

Малдер вырвался наружу, сердце его колотилось, словно собиралось выскочить из груди. Скалли выглядела опустошенной.

— Там, — только и сказала она.

Едва переводя дыхание, он пошел за ней по узкой тропинке, огибавшей подножие пирамиды. Они достигли полуразрушенного парапета у края священного сенота, где приносились жертвы.

Малдер остановился и посмотрел на мрачную неподвижную воду. Скалли стояла рядом с ним, прерывисто дыша и не произнося ни слова.

Внизу, в священном колодце, словно изуродованная и выброшенная кукла, вниз лицом плавало тело Владимира Рубикона.

22

Руины Кситаклана.
Вторник, 11.14

Они обвязали веревками стволы толстых деревьев и сбросили канаты в воду. Все стояли в
печальной задумчивости, ошеломленные слу-
чившимся.

Фернандо Агилар предложил, чтобы один из
ловких и мускулистых индейцев спустился по
веревке вниз и достал тело Владимира Рубикона.
Но Малдер отказался от помощи. Он должен
был сам сделать это.

Скалли молча помогла ему обвязаться веревкой, пропустив ее под мышками, затянула и
проверила узлы. Подавляя волнение, Малдер
стал спускаться по шершавой стене известняко-
вого колодца, держась за веревку. Ему то и дело
приходилось уклоняться от острых, грубых камней, выступающих из стен. Индейцы осторожно
вытравливали веревку, и наконец он повис над
водой.

Фернандо Агилар стоял наверху рядом со Скалли, отдавая команды индейцам и ругаясь, когда те неточно их исполняли, хотя было видно: они сами прекрасно знают, что делать, и не обращают внимания на выкрики Агилара.

Новость о смерти старого археолога гид и «экспедитор» воспринял с ужасом.

— Старик, верно, вышел побродить посреди ночи, — сказал он. — Края здесь обрушились, и он, видимо, упал; это было долгим падением. Очень сожалею о несчастье.

Малдер и Скалли понимающе взглянули друг на друга, но не предложили другого объяснения, противоречащего интерпретации гида, по крайней мере пока.

Малдер почти достиг поверхности стоячей воды. Его охватили пронизывающая сырость, застоявшийся запах плесени и гниющих водорослей, к которому примешивалась отвратительная вонь остаточных испарений от несвершившегося землетрясения.

Прямо под ним покачивалось тело Владимира Рубикона. Мокрая рубашка плотно облепила его острые плечи. Седовласая голова старика была неестественно повернута набок, сразу стало ясно, что у него сломана шея, но произошло ли это во время падения, или оказалось результатом физического насилия? Руки и ноги Рубикона свисали вниз, невидимые в темной воде.

Малдер стиснул зубы и задержал дыхание,

когда индейцы опустили веревку еще на несколько футов. Он погрузился в воду, но благодаря веревкам держался на плаву и задвигал
руками и ногами, подбираясь к телу Рубикона.
Вторая веревка натянулась, когда он рванулся
вперед.

— Осторожнее, Малдер! — крикнула Скалли.
Он удивился, почему она напоминает ему об
этом, но вслух ответил:

— Не беспокойся!

Вода была очень плотной, похожей на желе,
теплой от жаркого дыхания джунглей и одновременно обжигающей холодом. Малдер надеялся,
что колодец не кишит пиявками или еще какими-нибудь опасными видами тропических организмов. Он взглянул вниз, где толща воды скрывала его ноги, и ничего не сумел разглядеть. Он
не сможет рассказать о том, что скрывается в
глубине сенота, вдали от солнечных лучей. Ему
вспомнились старинные рассказы о древних чу-
довищах, принадлежавших неведомому времени
и пространству — может, они тоже были пернатыми змеями? — которые плавали в темных глубинах, подстерегая беспечные невинные жертвы.

Ему почудилось, что под ступнями вдруг за-
волновалась вода, и он быстро подтянул ноги.
Тело Рубикона закачалось на воде, будто под-
талкиваемое кем-то невидимым. Тяжело дыша
от страха, Малдер вглядывался вниз, но так
ничего и не увидел.

— Мне просто показалось, — успокаивал он себя, памятуя о своем слишком богатом воображении.

Он потянул за вторую веревку и освободился от нее. Сверху заглядывали индейцы, готовые повиноваться его командам. Подбадривающе помахал рукой Агилар.

Малдер накинул освободившуюся мокрую и скользкую веревку на плечо, ухватился за мокрую рубашку Рубикона и подтянул его к себе, затем обвязал веревкой худое тело археолога. У него было чувство, будто он обнимает старика.

— Прощайте, Владимир Рубикон, — сказал он, затягивая узел. — Во всяком случае, ваше расследование окончено.

Он потянул за веревку и крикнул:

— О'кей, тяните его наверх!

Веревки натянулись от тяжести, когда индейцы стали поднимать труп, даже Агилар кинулся помогать. Тело Рубикона медленно поднималось, словно сенот неохотно отдавал свою недавнюю находку. Малдер остался в воде один. Он надеялся, что если какие-то боги еще существуют в Кситаклане, они не захотят взять его взамен покойного Рубикона.

Старый археолог поднимался из воды, как промокшее чучело. Вода стекала с рук и ног погибшего. Голова была вывернута в сторону, узловатые пальцы странным образом скрючены, мокрая бородка опутана водорослями.

Малдер задыхался и перебирал ногами в воде,

ожидая, когда тело несчастного старика подни-
мут наверх. Заметно было, что индейцам стало
не по себе, когда труп оказался рядом.

Малдер наблюдал, как они перевалили тело
через край и опустили на каменистую землю.
Скалли помогала им, отвлекшись на минуту от
Малдера.

Ему почудилось, будто холодные руки утоп-
ленников хватают его за руки и за ноги, тянут за
мокрую одежду. Малдер решил больше не ждать
и, подплыв к стене, начал взбираться наверх,
хватаясь за выступы камней.

Он проделал таким образом половину пути,
прежде чем Агилар и индейцы, обступив отверстие колодца, опустили ему связанную петлей
веревку и помогли выбраться.

Дрожа от сырости в знойном воздухе Центральной Америки, Малдер напоследок заглянул
в глубь колодца. Священный сенот казался
тихим и невозмутимым в своей мрачной темноте и... все еще голодным.

По дороге к лагерю Малдер решил поставить
на место Фернандо Агилара и повысил голос:

— Больше никаких оправданий, Агилар! Я
хочу достать радиопередатчик и сейчас же воспользоваться им. Мы знаем, где он, и хватит
задержек. Доктор Рубикон сегодня утром собирался послать сообщение, а теперь это более чем
необходимо.

Агилар улыбнулся, признавая его правоту:

— Конечно, сеньор Малдер, это хорошая идея. В свете этой трагедии мы не сможем справиться одни с ситуацией, а? Хорошо, что мы отложили поиски сеньориты Рубикон и ее партии. Да, я сейчас же пойду и принесу передатчик.

С облегчением покинув Малдера, Агилар поспешил к тайнику, где хранилось снаряжение партии. Оно, нетронутое, так и лежало на том месте, где его обнаружили.

Однако Малдер не сказал ему, что намерен отказаться от попыток найти Кассандру.

Скалли опустилась на плиты рядом с телом Рубикона и стала осматривать его, пытаясь получить как можно больше информации.

— Думаю, нет нужды делать вскрытие, чтобы определить, отчего он умер, Малдер, — сказала она.

Она пробежала пальцами по шее старика, ощупала кадык, потом расстегнула рубашку, чтобы осмотреть грудь и плечи.

Индейцы отошли, не желая находиться рядом во время осмотра. На сей раз Малдер не почувствовал из-за этого одиночества. Отдаленное местонахождение и ненадежные спутники внушали ему всевозрастающую тревогу.

Скалли похлопала по грудной клетке Рубикона, наклонив голову и прислушиваясь, словно выгоняла воздух из мертвых легких. Она взглянула на Малдера сосредоточенными, расширившимися от волнения глазами:

— Так вот, более чем определенно — он не утонул.

Малдер с тяжелым чувством смотрел на нее. Легким движением она коснулась шеи старика.

— У него сломано несколько позвонков. — Скалли перевернула тело, демонстрируя синевато-багровое пятно у основания шеи, ставшее пурпурным от пребывания в холодной воде. — Я также убеждена, что это повреждение не было вызвано падением в колодец, — сказала она. — Доктор Рубикон не подходил к нему и не падал в воду. Думаю, Агилар хочет заставить нас поверить, что он умер в результате несчастного случая, но вот доказательство того, что Рубикона сильно ударили сзади, ему чем-то сломали шею. По-моему, доктор Рубикон был уже мертв, когда его бросили в сенот.

— Агилар не хотел, чтобы доктор передавал свое сообщение сегодня утром, — заметил Малдер. — Возможно, здесь кроется более важная причина, чем я думал.

— Не забывай, что Агилар привел сюда партию Кассандры, и все они пропали, — сказала Скалли. — Думаю, мы можем предположить, что их тоже нет в живых.

— Полагаешь, он собирается нас убить? — Малдер сознавал, что на этот раз задает вопрос абсолютно серьезно, без тени безумной фантазии. — Что ж, здесь все преимущества на его стороне.

— Но у нас пока есть оружие, если уж до этого дойдет, — пожала плечами Скалли. — Подумай. Агилар знает, что мы — федеральные агенты. Он знает, как Соединенные Штаты ведут себя, когда что-то случается с их специальными агентами. Вспомни, когда здесь, в Мексике, были убиты офицеры разведывательного управления. Не думаю, что он настолько глуп, чтобы взять это на себя. Он еще может представить смерть Рубикона как случайность, если мы не докажем обратное, но нашу гибель он не сможет объяснить подобным образом.

Малдер украдкой оглядел площадь, увидев Агилара и его помощников, наконец возвращающихся из леса. Они несли ящик с оборудованием. Выражение лица Агилара не ободрило Малдера.

— Агилар может представлять себе все последствия, — сказал Малдер, — ну а что, если это не он? Что, если это индейцы совершают жертвоприношения, как наш друг Лефти, который вчера отрубил собственный палец?

Скалли помрачнела:

— Если это так, то, думаю, их не очень беспокоит вмешательство американского правительства.

Фернандо Агилар спешил к ним, тогда как индейцы остановились, опасаясь из-за распростертого тела Рубикона подойти поближе.

— Сеньор Малдер, — сказал Агилар, — у меня плохие новости. Передатчик сломан.

— Как это сломан? — спросил Малдер. — Мы только вчера доставали его из ящика.

Агилар пожал плечами и снял шляпу, утирая вспотевший лоб:

— Погода, дожди, здешние условия...

Он достал передатчик из ящика и передал Малдеру. Тот осмотрел его и увидел, что задняя стенка задвинута неплотно: детали внутри влажные и изъедены коррозией.

— Внутрь попала вода или насекомые, — сказал Агилар. — Кого тут винить? Передатчик был в старом храме без ухода еще с того момента, когда первая группа покинула Кситаклан. Мы не можем связаться, чтобы вызвать помощь.

— Это трагедия, — сказал Малдер, а затем тихо пробормотал: — И тоже очень своевременная.

Скалли стрельнула в него взглядом, и он понял, что они не должны раскрывать свои карты. Если бы он стал размышлять о правдоподобии, то смог бы поверить в случайную поломку радиопередатчика, или в случайную смерть Рубикона, или в случайное исчезновение Кассандры и других археологов.

Но все, вместе взятое, никак нельзя считать случайными происшествиями.

Напустив на себя безмятежный вид, Скалли произнесла:

— Тогда ничего не остается, как примириться с этим, не так ли, Малдер?

Он знал, что она тоже чувствует себя как в ловушке в этой бескрайней затерянности, без контакта с миром... А единственные люди вокруг них — кучка потенциальных убийц, которые не шевельнут пальцем, чтобы помочь им, если с ними что-то случится.

23

Руины Кситаклана.
Вторник, 14.45

Скалли ощущала на плечах вес прорезиненной ткани водолазного костюма, словно чужую кожу, связывающую движения. Здесь, на твердой земле, пока она с помощью Малдера с трудом ковыляла по каменистой дорожке к священному колодцу, костюм только мешал движению. Громко звякали подвешенные у пояса гири. Она надеялась, что, когда спустится в воду, костюм станет помощью, а не обузой.

Малдер остановился, уперев руки в бока, и рассматривал ее, подняв брови.

— Очень модный костюмчик, Скалли, — заметил он.

Стоя на краю сенота, она потуже затянула пояс. Ею овладело странное чувство смещения времени. Костюм был приобретен для Кассандры Рубикон, чтобы исследовать сенот в поисках древностей и ответа на загадки майя. Теперь Скалли оказалась единственной, кто смог влезть в этот костюм, и она будет искать в колодце нечто более зловещее.

После того как было обнаружено тело Владимира Рубикона, ее опасения возросли. Она почти не сомневалась, что пять членов исследовательской группы из Университета Сан-Диего тоже утоплены в колодце. Если она и в самом деле найдет там убитую дочь старого археолога, то ее единственным утешением будет то, что доктор Рубикон уже не увидит страшных результатов этих поисков.

Малдер держал в руках тяжелый шлем.

— А теперь, чтобы закончить ансамбль, — сказал он, — твоя прелестная шляпка.

Хотя костюм был только что извлечен из коробки, он казался старым, купленным по дешевке. Скалли надеялась, что его проверяли и признали годным. Подобно многим исследовательским экспедициям группа Кассандры при более чем скромном бюджете вынуждена была экономить, где только возможно. Согласно бумагам, найденным в коробке и переведенным Агиларом, костюм был предоставлен мексиканским правительством как часть взноса в финансирование экспедиции, отправляющейся в Кситалкан.

Когда Скалли стала опускать тяжелый шлем на голову, Малдер отбросил шутливый тон и серьезно спросил:

— Ты готова к этому, Скалли?

— Это часть работы, Малдер. Это наше дело, и кто-то должен спуститься вниз и посмотреть. — Она понизила голос: — Только ты держи ухо востро, а оружие под рукой. Ты будешь один здесь наверху, а я, тоже одна, внизу. Не очень выгодная для нас ситуация.

С того момента, как было найдено тело Рубикона, Малдер постоянно держал при себе девятимиллиметровый «сиг-сауэр», но индейцы значительно превосходили их числом, а кроме того, они доказали, что не боятся боли и могут проигнорировать опасность быть ранеными или убитыми, если затеют еще одно кровавое жертвоприношение.

Даже если Малдер и Скалли больше не столкнутся с насилием, они все равно зависят от доброй воли Агилара, ведь только он может вывести их из этих джунглей.

«Да, не очень выгодная ситуация», — мысленно согласился он со Скалли.

Скалли закрепила тяжелый водолазный шлем, замкнув его у ворота специальными крепежными кольцами. Собственное дыхание казалось ей гулким, как в пещере, от волнения она тяжело дышала.

Малдер помог ей проверить соединение воздушных шлангов, свободно свисавших за спиной. Маленький генератор должен был нагнетать в шлем воздух, хотя казалось, от него с трудом мог работать портативный фен для волос.

Агилар и индейцы стояли рядом, наблюдая за ней со смешанными чувствами любопытства и тревоги. Скалли с волнением взглянула на них, но не увидела ни одного беспалого или с перевязанной рукой.

— Я не представляю, что вы ожидаете найти внизу, сеньорита, — снова сказал Агилар, скрестив руки на груди. — Мы здесь в ужасном положении и должны как можно скорее покинуть эти места. — Он указал на тихо переговаривающихся индейцев. — Мои помощники очень взволнованы тем, что вы потревожите священный сенот. Он проклят жертвами, принесенными здесь. Они говорят, что старые боги взяли старика в качестве отмщения и, если мы будем продолжать беспокоить их, боги нападут и на нас.

— Точно так же, как они напали на членов археологической партии? — предположил Малдер.

Агилар натянул свою шляпу из шкуры оцелота, откинув волосы за спину:

— Может, именно по этой причине Кситаклан и оставался необитаем столько столетий, сеньор Малдер.

— Я спускаюсь вниз, — твердо сказала Скалли, ее голос глухо звучал через прозрачное окошечко шлема. — Если это поможет найти наших людей, мы просто обязаны проверить. Сенот — самое подозрительное место, которое мы не осматривали, особенно учитывая обстоятельства смерти мистера Рубикона.

Она проверила гири у пояса и специальный фонарь, подвешенный рядом с ними.

— Раз уж я уважаю их религию, вашим помощникам стоило бы уважать международные законы, мистер Агилар.

Скалли хорошенько закрыла шлем и сделала Малдеру знак включить генератор. Воющий звук ворвался в джунгли. Она глубоко вдыхала сырой воздух, остро пахнущий старой резиной. Через несколько мгновений она ощутила на щеке слабую струйку свежего воздуха и поняла, что пока генератор справляется со своей задачей.

Она жестом попросила помочь ей опуститься в сенот, молясь, чтобы водолазный костюм и генератор не отказали раньше, чем она осмотрит все под водой. Индейцы серьезно смотрели на нее, как будто прощались навсегда.

Ухватившись за те же веревки, по которым спускался Малдер, Скалли начала утомительный спуск. Он занял у нее долгие минуты, костюм тяжело давил на плечи, но когда она наконец достигла уровня обманчиво мирной воды, то сразу поняла, что сможет нырнуть.

Ее не остановил суеверный страх. Она оставила веревку у стены и нырнула, увлеченная вниз тяжестью подвешенных к поясу гирь.

Мрак медленно вращающейся воды окружил ее, словно густой сироп. Ткань костюма, сжимая, давила на плечи и ноги, пока она погружалась все глубже. Ослепив ее на мгновение, тьма непроницаемой воды поглотила свет. Шипящие пузырьки воздуха крутились вокруг нее. Скалли несколько раз глубоко вздохнула, проверяя, не попала ли вода внутрь костюма и продолжает ли подаваться по шлангу жизненно необходимый воздух. Постепенно она осваивалась.

Сила тяжести груза продолжала увлекать ее на дно, если сенот вообще имел дно.

Когда глаза немного привыкли, она увидела, что вода вокруг стала зеленоватой, словно бледный солнечный свет проникал сквозь толстое мутное стекло. Она попробовала пошевелить руками и ногами, барахтаясь в воде. Потеряв ориентацию, она только чувствовала, что погружается все глубже.

Давление на тело ощущалось все сильнее, голову словно сдавливало тисками. Скалли опять вспомнила рассказ доктора Рубикона о том, что Томпсон получил повреждение слуха во время спуска в сенот Чичен-Ицы.

Она постаралась прогнать эти мысли и попыталась осмотреться, осторожно поворачивая голову в шлеме. Падение продолжалось, метр за метром, и невозможно было представить себе глубину колодца. Наверняка он глубже тридцатифутового сенота в Чичен-Ице.

Круг света наверху превратился в очень слабое отражение яркого мексиканского неба. Дыхание эхом отдавалось в ушах, словно отдаленный шум прибоя; она едва замечала смену воздуха.

Скалли еще раз глубоко вздохнула и ощутила специфический химический запах старых прорезиненных шлангов. Костюм казался ужасно горячим и душным, а шлем вызывал состояние клаустрофобии.

В какой-то момент все поплыло у нее перед глазами, и она стала лихорадочно, до головокружения, втягивать воздух, пока постепенно не успокоилась и не заставила себя дышать ровно, не поддаваясь панике.

В глубине показался слабый отблеск, гораздо ниже того уровня, до которого ей хотелось бы опускаться, — светло-голубое сияние, казалось, струилось со дна колодца, сочилось из пористого известняка.

Когда глаза привыкли, Скалли поняла, что зрение ее не обманывает — туманное пятно света пульсировало, как будто посылая сигнал, может быть, сигнал SOS, но с большим интервалом.

Слабый свет внизу казался холодным и неземным. У Скалли по коже побежали мурашки, но она отругала себя за глупую боязнь привидений. Просто нервы, взбудораженные страшными историями, рассказанными в лагере около костра, так реагировали на необычное явление... Вот Малдеру это наверняка понравилось бы.

Ее партнер скорее всего предположил бы, что свет исходит от призраков жертв майя. Научный же склад ума Скалли склонен был объяснить свечение фосфоресцированием водорослей или микроскопических организмов анаэробов, живущих в известняковом сеноте на большой глубине. Мстительные привидения или инопланетяне! Она знала, что в действительности этого быть не может.

Скалли почувствовала, что спуск замедлился. Благодаря поясу с гирями она достигла равновесия, которое препятствовало дальнейшему погружению. Она, как поплавок, висела в воде, ощущая ее давление со всех сторон, но в то же время чувствуя себя невесомой.

Она ощупала широкий пояс, дотянулась до фонаря, открепила его и, обернув для безопасности цепочку вокруг запястья, крепко ухватилась за ручку.

Прогнав тревогу, Скалли включила фонарь, и его туманный луч прорезал мрак.

Отталкиваясь обутой в тяжелый ботинок ногой, она повернулась в плотной воде, осматриваясь вокруг... и лицом к лицу столкнулась с телом.

Тело плавало не дальше трех футов от нее, раскинув руки, лицом и глазными впадинами вверх, его плоть была истерзана и изъедена маленькими рыбками. Рот широко открыт и крошечные рыбешки сновали туда-сюда между челюстями.

Скалли задохнулась от ужаса. Огромный взрыв пузырьков вырвался из швов костюма, когда она юркнула в сторону. Рука ее машинально отпустила фонарь, и он скользнул вниз, освещая глубину.

Она отчаянно кинулась ловить источник света, но фонарь вдруг повис, слегка покачиваясь. Она вспомнила, что привязала его к запястью.

Сердце бешено колотилось. Она направила луч на тело, которое так испугало ее.

Это был мужчина, его темные волосы медленно колыхались в воде. Привязанные к ногам камни тянули его ко дну. Он был убит и брошен в сенот, причем недавно.

Она почувствовала, какой горячий воздух с шумом поступает в шлем, тогда как тело охватывал невероятный холод окружающей ее воды.

Скалли направила луч фонаря в непроницаемую глубину сенота. Луч фонаря высветил еще один силуэт плавающего, словно бревно, тела, затопленного глубоко внизу.

Она обнаружила партию американских археологов.

24

Руины Кситаклана.
Вторник, 16.16

Тела уложили на плитах площади.

Так как индейцы помогать отказались, Скалли и Малдеру пришлось потратить несколько часов, одно за другим извлекая тела из мрачной глубины.

Находясь в адском колодце, Скалли ножом перерезала веревки, удерживающие груз на ногах погибших, и трупы медленно всплывали на поверхность.

С волнением ожидая Скалли у края сенота, Малдер был потрясен, когда увидел всплывающее раздутое тело, потом еще одно, потом еще, тогда как Скалли оставалась внизу. Наконец она тоже появилась на поверхности, отстегнула шлем и долго с жадностью вдыхала влажный воздух, прежде чем приняться за тягостную работу.

Пока они с трудом поднимали зловонные тела из воды и укладывали их на землю, Фернандо Викторио Агилар стоял рядом, изо всех сил сдерживая дурноту. Малдер держал на виду свое оружие установленного образца. Наконец гид нехотя стал им помогать, придерживая веревку, с помощью которой Скалли карабкалась вверх по известняковой стене.

Тяжело дыша, Скалли наконец выбралась из тесного костюма и осталась в промокших от пота майке и шортах. Сдерживая нервную дрожь, она смотрела на четыре тела и задавала себе бесчисленные вопросы. Самая тяжелая часть работы была еще впереди.

Агилар, не отрываясь, смотрел на серо-зеленые полуразложившиеся тела, уставившиеся на него пустыми глазницами. Его кадык судорожно дергался то вверх, то вниз, и он машинально тер щеку, как будто ему требовалось побриться.

— Помогите нам только донести их до площади, — попросила Скалли. — Они не смогут дойти сами.

Пока они перетаскивали тела из-за высокой пирамиды и укладывали их на открытой площадке неподалеку от лагеря, Агилар то и дело украдкой оглядывался по сторонам и судорожно сглатывал, сдерживая тошноту. В конце концов он прочистил горло и стал извиняться.

— Боюсь, мне будет плохо, если я останусь здесь дольше, — сказал он, медленно отступая. — Этот отвратительный запах...

Все индейцы уже исчезли в джунглях с такими воплями и воем, что Скалли сомневалась, вернутся ли они вообще. Интересно, куда они побежали, думала она. Может быть, где-то неподалеку находится их деревня, а может, они сбились в кучу где-нибудь под раскидистым деревом и вспоминают старинные суеверия или же отсекают себе пальцы.

— Посмотрите, может, найдете нашу веселую команду, Агилар, — сказал Малдер вслед отступающему гиду. — Нам нужна их помощь, чтобы выбраться отсюда. Теперь, обнаружив наших людей, мы можем уходить.

— Да, сеньор, — отозвался Агилар. — Я вернусь сразу, как только смогу, и... гм... — Он потоптался на месте. — Поздравляю вас, вы нашли ваших людей, хотя я сожалею, что это оказалось совсем как и в тот раз, а?.. Совсем как со старым джентльменом...

Он кинулся бежать, стараясь скорее скрыться в зарослях папоротника, его стянутые в хвост длинные волосы мотались из стороны в сторону.

День клонился к закату. Малдер беспокойно бродил в сумерках, разглядывая молчаливые храмы и заросшие руины, прислушиваясь к голосам птиц в джунглях. Он высматривал что-нибудь подозрительное, а Скалли тем временем хлопотала возле четырех тел, лежавших рядом с телом Владимира Рубикона.

— Поскольку вариантов у нас немного, — сказала она, — будет довольно легко идентифицировать все четыре тела. — Ее голос звучал сухо и бесстрастно.

Она принесла из палатки папку с досье и принялась разбирать бумаги и фотографии: со снимков на нее смотрели улыбающиеся, уверенные в себе студенты, которые так стремились прославиться в малоисследованной области. Экспедиция отправилась в безобидное путешествие на Юкатан, ее участники надеялись, что после триумфального возвращения они станут желанными гостями телевизионных ток-шоу или предпримут научное турне по стране и во время лекций смогут демонстрировать редкие слайды.

Вместо этого они нашли только смерть.

Скалли смотрела на фотографии, изучала данные о цвете волос, телосложении, росте. После долгого пребывания в воде все лица стали неузнаваемыми.

— Этот темноволосый — Келли Роуэн, — определила она. — Его легко опознать, он среди них самый высокий, второй лидер в группе.

Малдер присел рядом с ней на корточки.

— Эти раскопки должны были стать одним из его самых блестящих достижений, — сказал он, глядя на искаженные до неузнаваемости черты лица молодого человека. — Доктор Рубикон говорил, что он был очень одаренным студентом с истинным призванием к археологии, прекрасным партнером Кассандры.

Скалли предпочитала не развивать эту тему дальше. В подобных обстоятельствах, проводя вскрытие и идентифицируя трупы, она считала необходимым абстрагироваться от мыслей о том, что объекты ее исследований были когда-то живыми людьми. Сейчас ее задача — профессионально выполнить свой долг, даже в этих примитивных условиях.

— Второй — Джон Форбин, — сказала она, переходя к следующему телу. — Он был самым молодым в группе, это сразу видно. Первый год в аспирантуре. Архитектор, специализирующийся на крупных древних сооружениях.

Малдер грустно покачал головой:

— Должно быть, среди этих нетронутых храмов он чувствовал себя как ребенок в кондитерской.

— Эта молодая женщина, безусловно, Кейтлин Баррон. Фотограф и художница, — продолжала Скалли. — Ей больше нравилось делать зарисовки акварелью, чем фотографировать. Цвет волос и комплекция тела доказывают, что это не Кассандра.

Малдер кивнул. Скалли глубоко выдохнула, отгоняя тяжелый запах. Обычно, когда ей приходилось присутствовать при вскрытиях, она натирала крылья носа камфорной мазью, чтобы приглушить специфический запах, но здесь, в джунглях, приходилось обходиться без этого спасительного средства.

— А этот, последний, — Кристофер Порт,

эксперт по иероглифам майя, — сказала она. — Как ты его назвал? Эпиграфист?

— Не так много людей в мире обладают этим искусством, и вот теперь их стало на одного меньше, — заметил Малдер.

Он насторожился и замолчал, как будто что-то услышал... Неожиданный шум заставил его быстро обернуться, схватившись за пистолет, но это была всего-навсего стайка шумных птиц в лианах. Смутившись, он повернулся к Скалли:

— Так что же произошло с Кассандрой? Ты могла не заметить ее тело в воде? Ведь там было так холодно и темно...

— Я искала, Малдер. Все тела теснились рядом, почти на одной глубине. Уверяю тебя, я возилась довольно долго, пытаясь проверить все как следует. Но больше там никого не оказалось. Если ничего не случится, будем искать ее в другом месте, но в сеноте тела Кассандры не было.

— Итак, мы разгадали одну загадку, но осталась другая, которая может оказаться такой же трудной.

Скалли чувствовала себя потной, измученной и грязной. Тяжелый прилипчивый трупный запах, казалось, забил легкие. Ей безумно хотелось принять душ или ванну, что угодно, лишь бы снова почувствовать себя свежей. Но купание в сеноте вряд ли дало бы это ощущение.

К тому же задача еще не выполнена. А потом можно будет хотя бы обтереться губкой.

— Давай посмотрим, удастся ли определить причину смерти, — сказала Скалли.

Она разрезала ножом одежду и обнажила тела жертв.

— Теперь уже не определишь, утонули ли они, потому что воздух вытеснен из тел, а в легких полно воды.

Она повернула голову Джона Форбина из стороны в сторону, проверяя, как движется шея.

— Не так, как у доктора Рубикона, шея не сломана.

Повернув тело Кейт Баррон, Скалли увидела на серовато-белой коже два круглых отверстия.

— Пулевые раны, — сказала она, удивленно подняв брови. — Держу пари, их всех застрелили, прежде чем бросить в колодец. — Она покачала головой, теряясь в догадках.

— Но где же была в это время Кассандра? — спросил Малдер. — Ее ведь так и не удалось найти.

— Да, нам придется отказаться от наших надежд, — сказала Скалли и принялась детально осматривать тела.

У всех четверых оказались огнестрельные ранения в области поясницы, то есть они были парализованы, но не убиты наповал. Такая точность выстрелов не могла быть случайной, следовательно, жертвы были брошены в колодец еще живыми.

— Здесь рядом ходят опасные люди, Малдер.

— После того как нам довелось увидеть отсеченный палец и кровавое жертвоприношение, убедиться в том, насколько суеверны местные жители, приходится признать, что жестокая старая вера еще действительно властвует здесь. Может быть, именно индейцы и принесли в жертву иностранцев, так кстати подвернувшихся им. Я читал, что древние племена предпочитали приносить в жертву богам пленников, чем своих соплеменников. — Малдер повернулся к пирамиде Кукулькана, грозно высившейся в центре.

— Но их сердца не вырезаны, Малдер. Эти люди были застрелены.

Малдер пожал плечами:

— Когда людей сбрасывали в священный сенот, это считалось еще одним совершенно законным способом умилостивить богов. Если индейцы своими выстрелами только парализовали археологов и потом бросили их туда, жертвы были еще живыми и дышали — очень достойное подношение.

Скалли встала, чувствуя боль в коленях, и вытерла руки о перепачканные шорты.

— Малдер, вспомни, эти люди были убиты из ружей, а не зарезаны примитивными каменными ножами. Кажется, это не в здешнем стиле.

— Значит, они осовременили свои старые обряды. — Малдер держал пистолет наготове, настороженно оглядывая опушку леса. — Это их край, Скалли, и их здесь много. Не знаю почему, но я чувствую себя их следующей жертвой... как индейка в День Благодарения*.

Скалли прижалась к нему гораздо крепче, чем хотела. Они всматривались в дикие заросли, два человека, затерянные в джунглях. Даже рядом с Малдером она чувствовала себя бесконечно одинокой.

---

* День Благодарения — официальный праздник в США в память первых колонистов Массачусетса, празднуется в последний четверг ноября.

25

*Руины Кситаклана.
Вторник, 23.17*

Опустилась ночь, оставив их в компании только поздно взошедшей луны и маленького веселого костерка, разгонявшего тьму. Угрюмая чернота джунглей, казалось, угрожала поглотить их. Малдер чувствовал себя беззащитным среди дикой природы.

Глядя на огонь костра, Скалли тихо произнесла:

— Помнишь, я говорила тебе, что Мексика звучит лучше, чем исследовательская станция в Арктике или ферма по выращиванию цыплят в Арканзасе?

— Да.

— Кажется, теперь я думаю иначе.

Учитывая возможную угрозу нападения фанатичных индейцев, вероломство Агилара или кого-то еще, виновного в многочисленных убийствах, агенты решили дежурить ночью по очереди.

Малдер сидел на каменных плитах у костра, поглядывая то на огонь, то вверх на луну, слушая жужжание насекомых. Плотный и едкий дым от покрытых мхом сучьев, поднимался к его лицу, отгоняя навязчивый трупный запах. Настороженный, полный внимания, он ощупывал в кармане свой пистолет девятого калибра.

Среди ночи Скалли выбралась из палатки и села рядом.

— Может, вскипятим немного воды и сделаем чай или кофе, — предложила она. — Самое подходящее занятие ночью у костра.

Малдер посмотрел на окружающие их деревья, на светящуюся дорожку. Индейцы не вернулись. Агилар тоже, это нарушало их намерение уйти из джунглей. Впрочем, Малдер не был уверен в том, чего ему хочется больше: остаться здесь еще на какое-то время и попытаться найти Кассандру или все бросить и поскорее вернуться к цивилизации.

Между тем их единственными компаньонами были пять трупов, накрытых найденным в тайнике археологов старым брезентом. У Малдера перед глазами все еще стояли четыре распухших тела и костлявое тело Рубикона, выражение лица которого даже после смерти оставалось удивленным.

Он взглянул на Скалли. Она была такой же чумазой, как и он. Они не мылись и не меняли

грязную одежду уже несколько дней. Взлохма-
ченные волосы слиплись от пота и пыли. Его
радовало, что рядом была именно она, одному
ему пришлось бы гораздо хуже.

— Скалли, — тихо и серьезно начал он, —
когда мы сталкивались с какими-нибудь стран-
ными явлениями, я часто находил необычные
объяснения, к которым, знаю, ты всегда отно-
силась скептически, но каждый раз все же бывала справедлива ко мне. Ты уважаешь мое мнение, даже когда не согласна с ним. — Он посмотрел на свои руки. — Не знаю, говорил ли я
тебе когда-нибудь, что очень ценю это.

Скалли с улыбкой повернулась к нему:

— Ты говорил, Малдер. Может, не словами,
но говорил...

Он вздохнул и решил затронуть тему, которую обычно избегал:

— Знаю, ты не захочешь мне поверить и на
этот раз, спишешь все на обманчивый лунный
свет или на головокружение из-за недосыпа, но
две ночи назад я услышал шум в джунглях. Я
высунул голову, чтобы узнать, в чем дело, и
заметил, как по краю леса передвигается огромное существо. Ничего подобного я раньше не
видел. Хотя это не совсем так... Я видел это
много раз, но не в реальной жизни...

— Малдер, о чем ты говоришь? — спросила
она.

Но тут из джунглей до них донесся громкий
треск веток, свидетельствующий о передвиже-

нии крупного животного. Малдер поднял голову и почувствовал, как в жилах холодеет кровь.

— Я думаю, что видел... одного из этих пернатых змеев. Очень похожих на эти статуи. — Он показал на обвивающуюся вокруг стелы змею. — Существо было больше крокодила и двигалось с непостижимой грацией. Ах, Скалли, это нужно видеть. Оно напомнило мне дракона.

— Малдер, Пернатый Змей — всего лишь мифический образ, — сказала Скалли, автоматически возвращаясь к своей роли скептика. — Твое видение было спровоцировано тем, что ты часто рассматривал его изображения и изучал легенды доколумбового периода. Скорее всего это был кайман, в джунглях встречаются очень крупные экземпляры этих рептилий. Когда ты увидел, как он движется, твое воображение дорисовало остальные детали, которые тебе хотелось бы видеть.

— Может быть, и так, Скалли, — сказал он, перекладывая пистолет из одной руки в другую. Шум в кустах становился все громче. Малдер заговорил быстрее: — С другой стороны, посмотри, какое огромное количество изображений Пернатого Змея встречается на всех изделиях майя в разных местностях, а здесь, в Кситаклане, в особенности. Это очень странно. Змей с перьями. Откуда появился этот миф, если индейцы с Юкатана не видели подобного существа своими глазами? Такое можно объяснить только распространенными во всем мире мифами о драконах и других сказочных змеях.

Он следовал за своим воображением, и слова текли непрерывным потоком:

— Странно, не правда ли, что десятки культур в мире создали такие сходные мифологические образы? Они не назывались пернатыми змеями, но выглядели почти так же. Длинная перистая чешуя и извивающееся тело.

Шум в джунглях становился все громче. Какое-то существо прокладывало путь к Кситаклану, словно его притягивало магнитом. По мере того как шум нарастал, возникало чувство, что множество гигантских существ устремилось к площади. Малдер поднял пистолет.

— Прислушайся, Скалли. Надеюсь, нам не придется встретиться с одним из моих воображаемых пернатых змеев лицом к лицу.

Шум продолжал нарастать. Трещали деревья, раскачиваясь и падая. Скалли встала рядом с Малдером поближе к костру, оба с оружием наготове, решив стоять до конца, если понадобится.

Но испуг Скалли неожиданно сменился любопытством:

— Подожди, Малдер, это же механический шум.

Как только она это произнесла, Малдер понял, что нарастающий шум действительно был скрежетом колес и гудением моторов.

С оглушающим воем в небе взорвались звезды, залив все кругом ослепительным белым светом.

— Это фосфорные вспышки, — сказал Малдер. — Обычно ими пользуются военные.

В мерцающем белом свете на выложенную плитами площадь Кситаклана выехали два громоздких вездехода. За машинами виднелись темные фигуры людей в камуфлированной форме, продирающиеся из джунглей. Они двигались, низко пригнувшись, держа автоматы наготове, перебрасываясь короткими фразами, когда стремительно меняли позицию, подобно армии термитов, устремляющихся к новому гнезду.

— Что здесь происходит? — тревожно и недоумевающе спросила Скалли своего партнера.

— Кажется, нам не стоит к ним бежать.

Скалли мгновенно оценила вооружение, солдат, машины. Неуклюжие вездеходы останавливались, круша плиты, вывернув вверх корнями три огромных дерева. Коммандос подбежали, полные решимости, и тут Малдер осознал, что отрывистые фразы, которыми они перебрасывались, произносились на английском, а не на испанском языке.

С первого взгляда ему показалось, что это мексиканские партизаны, но, хотя и не заметив знаков отличия ни на форме, ни на машинах, он понял, что нашел другой ответ.

— Это американские военные, — сказал он. — Какая-то операция коммандос.

Малдер и Скалли уселись у костра, подняв руки и положив пистолеты на колени. Коммандос подбежали и окружили их, держа на прицеле своих автоматов.

— Вижу, нам придется заплатить за стоянку, — пробормотал Малдер.

Два солдата целились им прямо в грудь, а третий выступил вперед и осторожно забрал их оружие, держа его в вытянутой руке, словно небольшие девятимиллиметровые пистолеты были ядовитыми пауками.

Фосфоресцирующий фейерверк постепенно потух, и солдаты поспешно зажгли дуговую лампу, залившую площадь резким светом.

Худощавый человек с загорелым лицом, видимо, командующий операцией, подошел к Малдеру и Скалли. У него были высокие скулы, нос с горбинкой, крупные твердые губы, крутой подбородок, узкие и темные, как обсидиан, глаза. Гроздь кленовых листьев на плечах указывала на его звание майора.

— Habla Español? — требовательно спросил майор. — Que pasa?*

— Мы говорим по-английски, — сказала Скалли, наклонившись вперед. — Мы американцы, специальные агенты ФБР.

Коммандос переглянулись. Суровое выражение лица майора не изменилось.

— Что вы делаете здесь, на чужой территории?

---

* Вы говорите по-испански? Что происходит? (исп.)

— Мы можем задать вам тот же вопрос, — сказал Малдер.

— Мой партнер и я находимся здесь в связи с розыском пропавших граждан США. — Скалли сунула руку в карман. Солдаты напряглись, но она действовала нарочито медленно, чтобы не провоцировать выстрела. — Хочу предъявить вам удостоверение, — сказала она и извлекла свой значок и идентификационную карточку с фотографией.

Малдер поразился тому, что даже здесь, в джунглях, она держит в кармане шортов свое удостоверение.

— Мы легальные атташе, представители при консульстве Соединенных Штатов, — сказала она. — Наше задание здесь, в штате Кинтана-Роо, состоит в том, чтобы разыскать пропавшую археологическую партию.

— Майор Джейкс, подойдите сюда! — крикнул издали один из двух солдат, которые тем временем обыскивали площадь.

Они откинули брезент, который скрывал пять тел у стелы.

— Убитые, сэр.

Майор повернулся и посмотрел на тела.

— Ну, фактически мы уже нашли большую часть группы, — сказал Малдер, пожав плечами.

Майор Джейкс оглядел площадь и руины. Не увидев других людей, кроме двух агентов, он повысил голос, чтобы отдать приказ солдатам:

— Продолжайте охранять территорию. Это не то, что мы ожидали найти, но мы должны выполнить задание, уничтожить объект и уйти до утра.

— Когда покончите с этим, не могли бы вы помочь нам выбраться отсюда, — сказал Малдер. — Я имею в виду, найдется ли место на заднем сиденье одного из ваших вездеходов.

— Если позволит задание, — невозмутимо ответил майор. Он взял карточку и стал изучать ее. — Мои люди не имеют здесь официального статуса, и в случае провала нашей акции начальство от нас откажется.

— Мы слышали об этом раньше, — сказал Малдер.

— Мы можем действовать на ваших условиях, если это потребуется, чтобы вывезти нас отсюда, — настойчиво заявила Скалли. — Каково ваше задание, майор?

— Уничтожить эту военную зону, — буднично ответил тот. — Ликвидировать источник странного нерасшифрованного радиосигнала.

— Это — военная зона? — переспросил пораженный Малдер. Он раскинул руки, указывая на осыпающуюся пирамиду, выветренные древние стелы, разрушившиеся храмы. — Это древние руины майя, покинутые тысячу лет назад. Вы можете увидеть это своими глазами. Мы с партнером несколько дней вели здесь поиски и не обнаружили никаких признаков военных технологий или оружейных складов. Это место не имеет какого бы то ни было военного значения.

Но тут, словно нарочно, опровергая его слова, из темноты джунглей раздался треск автоматных очередей, обстреливавших коммандос.

26

Руины Кситаклана.
Среда, 0.26

Как только раздались звуки выстрелов, Скалли инстинктивно бросилась на землю. Малдер прикрыл ее, толкнув к палатке. Прижавшись лицом к холодным плитам, Скалли могла видеть только вспышки огня от продолжавшейся атаки лесных снайперов.

Майор и его коммандос среагировали мгновенно, готовые отвечать, как рассерженные осы.

— Всем укрыться! — крикнул майор. — Стрелять на поражение!

— Я, конечно, здорово ошибся насчет военного значения этих руин, — прошептал Малдер на ухо Скалли. — Тебе не больно?

— Нет, — тяжело дыша, ответила Скалли. — Спасибо, Малдер.

Коммандос открыли такой ураганный огонь, что, даже не видя точной цели, должны были накрыть ее.

Рядом со Скалли один солдат вдруг закружился, словно волчок, и рухнул на разбитые плиты. Молоденький младший лейтенант оглянулся и в ужасе смотрел, как яркая артериальная кровь течет из простреленной груди раненого. Мельком посмотрев на него, Скалли заметила на его лице выражение смертельной обиды.

Последовал ответный удар снайперов из джунглей. Осколки камней градом посыпались от одной из стел около их палаток, и на изображении Пернатого Змея, все еще испачканного недавней жертвенной кровью, появилось полукруглое углубление.

Солдаты быстро отбежали назад к защищенным броней вездеходам. Один из них упал рядом со стелой, другой укрылся за брезентом, покрывавшим тела погибших археологов.

— Кто в нас стреляет? — спросила Скалли, когда сумела выровнять дыхание.

Американцы продолжали поливать огнем опушку джунглей, но могли только надеяться, что действительно попадают в скрытых врагов. Кто-то невидимый вскрикнул от боли, затем новый шквал выстрелов заглушил все остальные звуки. Меткий выстрел из густых зарослей разбил одну из переносных дуговых ламп.

Из джунглей раздался мощный голос с сильным мексиканским акцентом. Безо всяких усилителей он перекрывал шум боя.

— Американские захватчики! — кричал человек. — Вы незаконно находитесь на территории независимого штата Кинтана-Роо. То, что вы нарушили наши границы и законы, противоречит всем международным договорам.

Лежа на земле, Скалли подняла глаза на Малдера. Она узнала этот голос:

— Это шеф полиции Карлос Баррехо. — Над их головами просвистели пули. — Но почему шеф полиции штата стреляет в нас среди ночи? В центре джунглей? Это не похоже на обычный рейд.

Малдер прищурил глаза:

— Значит, шеф Баррехо выступил сверх программы.

Один из солдат Джейкса выстрелил из ракетницы, и в небе вспыхнул яркий белый свет, беспощадно залив поле битвы.

— Назовите себя! — крикнул майор Джейкс, припав к земле рядом с Малдером и Скалли под весьма условным прикрытием палатки.

Один за другим затрещали выстрелы, продырявив полотно палатки. Джейкс рванулся в сторону и рухнул на Малдера. На плече майора появилась рваная рана. Пуля попала в мякоть, ничего серьезного. Майор, казалось, даже не обратил на рану внимания.

— Это военные действия, — снова закричал Баррехо. — Вы, оккупанты, контрабандно пронесли оружие на нашу землю.

Пока говорил партизанский лидер, пальба утихла, только несколько одиночных выстрелов прозвучало в залитой фосфорным светом ночи.

— У нас нет другой цели, кроме защиты нашей культуры. Мы не позволим военным налетчикам из Соединенных Штатов выкрасть наши национальные сокровища.

— Но мы здесь не для того, чтобы похитить их древности, — пробормотал майор, покачивая головой. — Наша задача — взорвать пирамиду.

Малдер приподнялся на локтях и посмотрел на майора:

— Ну что ж, если это всего лишь недоразумение, может, вам стоит пожать ему руку и побеседовать об этом?

Майор не среагировал на замечание Малдера.

— Теперь все понятно, — сказал он. — Это борцы за свободу, члены непримиримой революционной организации на Юкатане «Либерасьон Кинтана-Роо». Они стремятся образовать свою собственную маленькую страну и отделиться от мексиканской нации независимо от того, чего хочет остальное население Юкатана. У них не так уж много оружия и начисто отсутствуют моральные принципы.

Малдер холодно взглянул на него:

— Так же, как и у ваших людей.

Майор Джейкс ответил ему беззлобным взглядом:

— Правильно, агент Малдер.

— Бросайте оружие и сдавайтесь, — продолжал реветь Баррехо. — Вы будете арестованы и привлечены к суду как иностранцы, незаконно проникшие на нашу территорию, и соответственно осуждены... если только ваша страна не потребует вашей выдачи.

Ноздри майора Джейкса побелели. Скалли понимала, что, поскольку задание майора было секретным, американское правительство станет отрицать существование группы и откажется от нее. Джейксу и его людям грозил самосуд или заключение в мрачных пыточных камерах мексиканской тюрьмы, по выбору партизанской группы.

— Мои люди никогда не сдадутся, — выкрикнул майор. — Ни трусливым снайперам, ни террористам.

Снова затрещали выстрелы.

— Мне всегда хотелось быть простым, соблюдающим нейтралитет мексиканцем, — сказал Малдер.

Скалли понимала, что в открытом бою американские коммандос способны подавить огонь бойцов «Либерасьон Кинтана-Роо», но им не удавалось укрыться от выстрелов многочисленных невидимых снайперов. В Кситаклане они оказались в ловушке.

Погасла фосфоресцирующая вспышка, разбилась вторая дуговая лампа, и все вокруг накрыла темнота, разрываемая только случайными выстрелами.

— Вы двое оставайтесь со мной, — сказал майор Джейкс. — Понимаю, что вы не участвуете в операции, хотя не уверен, что это самое удачное решение проблемы.

— Тогда, может, нам вернут оружие, сэр? — спросил Малдер. — Раз уж дело идет к сражению.

— Нет, агент Малдер. Не думаю, что это будет в ваших интересах.

Майор повернул прибор ночного видения в направлении леса.

Лежа на плитах, прижимаясь к ним лицом при свисте пуль, Скалли почувствовала содрогания земли, перерастающие в энергичную вибрацию, словно к ним приближались машины еще более мощные и тяжелые, чем вездеходы, но затем она поняла, что это сотрясение исходит из глубины земли. Раздался подземный грохот и скрежет, как будто возрастающее вулканическое давление искало выход из-под корки известняка.

— Скалли, держись крепче, — воскликнул Малдер, хватая ее за руку. Майор Джейкс и его люди не понимали, что происходит.

Под воздействием подземной силы почва вдруг вздыбилась и заходила ходуном. Огромная ступенчатая пирамида раскачивалась и дрожала. Глыбы вывалившихся из гнезд блоков с грохотом падали на ступени.

В джунглях раздались вопли ужаса. Люди Джейкса, напуганные не меньше своих противников, отчаянно цеплялись за каменные плиты.

Одна из двух стел, та, что стояла подальше от них, дрогнула и рухнула на плиты. Древний обелиск разлетелся на куски. Деревья клонились к вздыбленной земле.

Из щелей между плитами вырвался пар. Земля покрылась разбегавшимися во все стороны трещинами, давая выход страшному давлению.

— Скорее, Скалли, удираем отсюда! — закричал Малдер, рванув ее за руку. — Нужно найти укрытие, пока на нас не обращают внимания.

Он вскочил и зигзагами побежал прочь по прыгающей, словно норовистый конь, земле.

Скалли встала, собираясь присоединиться к нему, но майор Джейкс преградил ей дорогу:

— Не так быстро, вы останетесь здесь.

Из леса доносились отчаянные крики, и Скалли слышала шум падающих деревьев, с корнями вырванных сотрясением земли. Она хотела смутить майора взглядом, когда он навел на нее оружие, но, увидев выражение его лица, поняла, что убежать не удастся. Малдер уже пересек половину площади, пригибаясь и подпрыгивая, пытаясь достичь укрытия в одной из низких храмовых руин. На бегу он обернулся к ней, и лицо его исказилось от боли. Он остановился, будто собираясь бежать обратно, сдаться майору.

— Давай беги, Малдер! — крикнула она. — Убирайся отсюда!

Неожиданная грубость поразила его, и он еще быстрее устремился к подножию пирамиды. Вдогонку ему неслись выстрелы, пули рикошетом отскакивали от каменных стен, и он не знал, стреляют ли это снайперы из джунглей или солдаты Джейкса.

От титанического толчка земля накренилась, и Скалли услышала звук, напоминающий треск разрываемых мышц, словно в недрах земли что-то рождалось. Гигантский столб пара внезапно вырос за пирамидой Кукулькана, разбрызгивая шипящую воду, устремившуюся в трещины на земле.

Она поняла, что выброс пара произошел из сенота — трещина расколола дно невероятно глубокого колодца, пропустив воду в вулканический котел.

Скалли мельком увидела силуэт Малдера и с болью в груди поняла, что он бежал именно к сеноту, как будто притягиваемый магнитом.

27

*Руины Кситаклана.
Среда, 1.31*

К тому моменту, когда Малдер достиг укрытия, земля перестала колебаться и вздрагивать
под его ногами. Снайперы послали ему вслед
еще несколько выстрелов, но, видимо, их больше заботила собственная безопасность. Не дожидаясь, пока огонь возобновится, он протис-
нулся в трещину у края стены громадной пирамиды, как ни странно устоявшей против мощ-
ных толчков.

Ему было больно думать о Скалли, оставшей-
ся в плену, или «под защитой» майора Джейкса
и его солдат. Но ее последние слова, преодолев-
шие шум разъяренной природы, вдруг освобо-
дили его, словно порвалась связующая их нить.
Если бы ему удалось найти ответ на вопросы,
которые задавали себе Карлос Баррехо и майор
Джейкс, если бы он смог разгадать эту тайну,

возможно, он сумел бы этим воспользоваться и освободить Скалли.

Пока же он оказался один, неизвестно, к худшему или к лучшему. Он понимал, что в одиночку, без оружия, ему не удастся противостоять двум враждующим сторонам. Но он надеялся найти неординарное решение проблемы.

Малдеру требовалось раскрыть секрет пирамиды Кситаклана. Что обнаружила там Кассандра Рубикон?

Подземные толчки прекратились, извержение прервалось, не успев выбросить потоки лавы и пепла, но когда Малдер пробрался к обрушенному краю священного колодца, он внезапно остановился и, потрясенный, уставился в глубину.

Где-то в недрах бездонной впадины, у самого основания планеты, земля треснула, расколов дно священного сенота. И громадный столб холодной воды, где недавно покоились тела четырех археологов и старого Рубикона, всей мощной массой обрушился в раскаленное жерло вулкана.

Когда он бежал от майора, то видел гигантское грибообразное облако пара, разносящее удушливый запах сероводорода, вырвавшееся в небо будто из взорвавшегося бурлящего котла.

Теперь скважина была пуста, из ее стен сочилась вода, слышен был треск потревоженной породы. Клубы едких вулканических газов еще всходили по ней вверх.

Малдер заглянул в удушливое отверстие сенота, словно в преисподнюю, словно в мифический вход в Гадес*. Далеко внизу он различил слабый отблеск. Пятно неясного света не было похоже на яростное вулканическое пламя. Оно больше походило на холодный, мерцающий в ночи свет маяка, молчаливо посылающего свои предупредительные сигналы. Скалли рассказывала ему, что во время спуска видела непонятный свет, далеко внизу, гораздо ниже того уровня воды, на котором она обнаружила убитых археологов. Она предположила, что это свет фосфоресцирующих водорослей, растущих вдали от солнечного света. Но Малдеру это объяснение не показалось правдоподобным. Свет то вспыхивал, то ослабевал, в этом было что-то упорядоченное, слишком регулярное, здесь усматривался некий ритм, напоминающий сигнал.

Он вспомнил слова майора о том, что в руинах Кситаклана находится источник какого-то загадочного сигнала, который не могут расшифровать американские военные... Но что, если перехваченная радиограмма не может быть раскодирована только потому, что составлена на языке, которого майор Джейкс и никто из земных жителей никогда не знал?

---

* Гадес — в греческой мифологии: подземный мир, куда уходят души умерших; бог подземного царства.

Владимир Рубикон мягко упрекал его за трактовку каменных рельефов в храме наверху пирамиды... За то, что он счел мудрого бога Кукулькана, который появился на серебристом корабле с огненным следом, древним астронавтом, возможно, явившимся из внеземного мира на Землю на рассвете человеческой цивилизации. Но сейчас, наблюдая за сверхъестественным свечением в глубине осушенного сенота, он почувствовал уверенность в том, что это сигналы SOS.

Малдер обратил внимание на спутанные веревки, все еще привязанные к искривленным деревьям, свисающие в пустой теперь колодец. Он присмотрелся к грубым выступам в стенах шахты. Пожалуй, если обвязаться веревками и хвататься за эти выступы, можно попробовать спуститься.

Мерцающий огонек манил его. Он должен спуститься туда, здесь нет никаких сомнений. Малдер схватил веревку, влажную и теплую. Должно быть, она сварилась в ужасном паровом котле. Но веревки оказались неповрежденными, и он понадеялся, что они выдержат его вес.

Малдер закрепил веревку тугим узлом и осторожно спустился с края, упираясь каблуками в сырой известняк. Как он и ожидал, здесь оказалось достаточно выступов и впадин, чтобы опереться всей ступней, и это очень помогало ему во время спуска. Но пятно света казалось невероятно далеким.

Напрягая мускулы, Малдер все увереннее ускорял свое продвижение вниз, с уступа на уступ. Он держался за веревку, но использовал ее мало, только как минутную опору. Время от времени он останавливался и всматривался в мигающий свет. Наконец он с облегчением определил, что хотя до маяка придется спускаться довольно долго, но все-таки он находится не на самом дне этой жуткой пропасти.

Неожиданно тишину нарушил резкий звук выстрела. Малдер застыл, крепко прижавшись к шершавой стене под выступом, но понял, что стреляли не в него. Бой возобновился, как только затаившиеся в джунглях снайперы оправились от испуга перед подземными толчками. «Пожалуй, мне стоит поторопиться», — подумал он. Он не собирался позволить такому тривиальному событию, как незначительная центральноамериканская революция, помешать ему раскрыть мучившую его тайну.

Малдер спустился на следующий уступ и заметил, что цвет известняка изменился, стал более бурым и темным, покрытым слизистым осадком после того, как здесь взлетел огромный столб пара. Теперь он оказался ниже того уровня, где раньше стояла вода.

Далеко вверху раздался еще выстрел, и до него донеслись слабые отзвуки слов на испанском или на гортанном языке древних майя, на котором еще говорили местные индейцы. Интересно, подумал он, может, Фернандо Агилар со своей дикой командой вернулся и ввязался в конфликт... или, может, Агилар как-то связан с Баррехо и его движением «Либерасьон Кинтана-Роо».

Для него и Скалли возможные убийцы были очевидны. Группа повстанцев Баррехо могла убить партию американских археологов, «осквернивших» их национальную сокровищницу, ценности революции.

Но если догадки Малдера о фантастическом, неземном происхождении города майя получат подтверждение, тогда реликвии Кситаклана не принадлежат ни одному народу на Земле.

Его всегда озадачивало, почему народ майя покинул этот удаленный край с такой роскошной природой и свои другие большие города. Почему они создали Кситаклан именно здесь, вдали от торговых путей и рек? Что благоприятствовало рождению их совершенной великой империи? Почему у майя развился такой интерес к астрономии, календарным циклам, орбитам планет?

Майя были одержимы идеей времени и движением звезд, обращением Земли вокруг Солнца. Они дотошно подсчитывали дни и месяцы, подобно школьнику, вычеркивающему в своем календаре дни месяца, оставшиеся до дня его рождения.

У него было чувство, что там, внизу, в этом свете, находится ответ на все вопросы.

Чем ниже он опускался, тем крупнее оказались выступы и уступы сенота, ведь сюда меньше проникали внешние атмосферные влияния. Малдер лез вниз с бьющимся сердцем и все нарастающим любопытством.

Потом его веревочная петля оборвалась.

Малдер посмотрел на перетершийся конец веревки с длинными торчащими волокнами, висящий вдоль стены, все еще привязанный к деревьям у края колодца. У него оставался только один выход: продолжать спуск в бесконечность.

В этой сауне полого колодца он обливался потом от душного вулканического дыхания, от остатков пара. Но влекущий его свет стал светло-голубым и холодным, пульсируя между камнями. Казалось, стены едва могут сдерживать энергию, стремящуюся наружу.

Он ухватился одной рукой за ровную выемку, а другой — за шишковатый выступ известняка и, задыхаясь от усилий, нащупал ногой опору, прижавшись лицом к стене... и вдруг понял, что прижимается к гладкому металлическому прямоугольнику.

Далеко вверху в ночи снова раздался треск выстрелов, но Малдер не слышал их.

Сплав, из которого был сделан прямоугольник, покрылся ржавчиной, но все же был удивительно чистым после веков затопления в холодной воде сенота. Форма и внешний вид прямоугольника были безошибочно узнаваемыми, и Малдер дотронулся до него дрожащими пальцами.

Он, безусловно, обнаружил дверь, ведущую в... корабль.

28

*Руины Кситаклана.
Среда, 2.15*

Древний металлический люк открылся с протяжным шипением. Малдер подумал, что такой звук мог издавать перед нападением Пернатый Змей...

Несмотря на сильное любопытство, он отвернул лицо и задержал дыхание, опасаясь токсинов, которые могли находиться в только что открытом помещении. К тому же стоило ему вдохнуть ядовитый смрад разложившихся тел, его обычно начинало тошнить. Что бы ни лежало под руинами Кситаклана, было похоронено на века, и он уже никогда не узнает, что могло находиться в этом давно покинутом... планетолете?

Глаза разъедал дым, все еще поднимавшийся от вулканической трещины в невидимом дне сенота. Он только надеялся, что в ближайшие часы не начнется новое землетрясение.

Услышав отдаленную стрельбу, которую не мог заглушить даже громкий стук капель, падавших сверху, с известняковых стен, Малдер понял, что у него слишком мало времени и сил, чтобы думать о собственной безопасности. Он должен успеть получить ответ на свои вопросы и сразу вернуться к Скалли.

А для этого ему нужно войти внутрь.

Он перенес ногу через дверной проем, проверил, надежен ли пол. Стены коридора, в котором он оказался, были изготовлены из полированного вещества, похожего на металл, отражающего поглощенный свет. Однако источник ослепляющего резкого сияния, как будто предназначенного для глаз, привыкших к свету другого солнца, он обнаружить не смог.

Майя не знали кузнечного дела, но умели плавить металл, чтобы создать материалы, которые он видел вокруг. Он пошел дальше по коридору, словно его что-то притягивало. Стены издавали гудение, звук был высоким и словно пульсировал, подобно неведомой музыке. Он ощущал этот звук не ушами, а костями, зубами, затылком. Малдеру очень хотелось поделиться с кем-нибудь своими ощущениями, но придется подождать, пока он не выберется отсюда.

Он вспомнил давнюю сцену на беговой дорожке неподалеку от штаб-квартиры ФБР. Когда он уже закончил долгую бодрящую пробежку, то во второй раз столкнулся с человеком, которого называли Большая Глотка. Малдер задал ему вопрос о посещении Земли инопланетянами, неопровержимые доказательства чему были спрятаны в секретных подвалах правительства, и Большая Глотка дал свой обычный ответ, который, в сущности, ответом не был.

— Они же здесь, разве не так? — спросил Малдер, вспотевший после тренировки, пытливо заглядывая тому в глаза.

Подняв брови, улыбаясь своей спокойной доброй улыбкой, Большая Глотка уверенно ответил:

— Мистер Малдер, они здесь с незапамятных времен.

Но может ли это обозначать тысячу лет?!

Теперь Малдер осторожно ступал по бронированному коридору, исследуя то, что могло быть древним межпланетным кораблем внеземных пришельцев, которые приземлились, а может быть, потерпели крушение на полуострове Юкатан, в месте зарождения цивилизации майя, много веков назад.

— Можно говорить о незаконном вторжении инопланетян, — пробормотал он.

Перед ним за крутыми поворотами открывались новые коридоры, в стенах которых находились темные полукруглые камеры с металлическими стенами. Там, где пластины из сплава проржавели, их заменял отесанный камень. От самого корабля мало что осталось, пожалуй, только корпус, залатанный известняковыми плитами.

Малдер представил себе, как жрецы майя входят в священную пирамиду спустя много времени после исчезновения пришельцев, все еще стараясь сохранить корабль, но не зная как. Поколение за поколением благоговеющих визитеров должны были отполировать пол до гладкости.

Возможно, недостающее оборудование и пластины были варварски выломаны из сооружения, чтобы использоваться в других храмах майя... или выброшены прочь религиозными фанатиками вроде отца Диего де Ланда... или украдены искателями сокровищ.

Когда он продолжил свое исследование, его охватило чувство безграничного удивления. Никогда прежде ему не приходилось видеть таких ошеломляющих доказательств внеземного происхождения конструкции.

Коридоры погребенного корабля в точности повторяли те, что обнаружил Малдер во время исследования лабиринта пирамиды в поисках Владимира Рубикона. Там, наверху, Малдер шел по темным туннелям, пока не остановился перед грудой каменных обломков, закрывавшей переход. Вероятно, подумал он, это был верхний ход в корабль.

Малдер предположил, что корабль мог потерпеть крушение и упасть на землю, пробив кратер в глубине джунглей. Когда коренные жители, дикие индейцы племени майя, прибежали выяснить, что произошло, Кукулькан, «мудрый бог со звезд», дал им необъятные знания, вызвав к жизни великую цивилизацию.

Он провел пальцами по ложбинкам в металлических стенах, коснулся отполированного известняка. Ну что ж, лучше, чем ничего. Он хотел бы, чтобы Владимир Рубикон дожил до этой минуты и увидел все своими глазами.

За тысячелетие майя или позже грубые и невежественные искатели сокровищ ободрали корабль до костей, оставив только его скелет. Но и этого оказалось достаточно, Малдер был уверен, что от подобного доказательства нельзя будет отмахнуться.

Если бы только он мог привести сюда Скалли и показать ей все это.

Он надеялся, что с ней все в порядке, что майор Джейкс защитит ее от повстанцев, хотя бы как заложницу. Если бы только им со Скалли удалось выбраться отсюда. Однажды во время их отчаянного побега с радиостанции в Аресибо, что в Пуэрто-Рико, она сказала:

— Доказательства бесполезны, если ты мертв.

Малдер подошел к плоскости, спирально поднимающейся вверх, и пошел навстречу расположенному высоко вверху пульсирующему пятну света. У него не было ни малейшего представления о глубине, на которой он находился.

Поднявшись на второй этаж, он оказался в

помещении, откуда исходил свет. Ему пришлось прикрыть глаза рукой от невыносимо ярких лучей, которые даже обжигали кожу на голове.

Это может быть капитанским мостиком, подумал он и медленно осмотрелся.

Помещение оказалось практически нетронутым, его странные сложные выступы представляли собой, очевидно, машинное оборудование. Малдер тотчас сообразил, что это место должно было иметь грандиозное религиозное значение для майя.

Но тут он заметил нечто, заставившее его похолодеть.

В одной из стен обширного помещения виднелись небольшие ниши, похожие на камеры.

Одна из камер была наполнена странной полупрозрачной субстанцией, похожей на легкий гель, в котором висела человеческая фигура, с вытянутыми вперед руками и поставленными слегка врозь ступнями ног. Искаженный мраком силуэт казался тонким, похожим на скелет.

Подобно мотыльку, привлеченному огнем, Малдер неуверенно пересек наклонную плоскость капитанского мостика, чтобы подойти к узкой нише, и увидел, что в желеобразную массу погружена молодая женщина с человеческими чертами лица и длинными волосами.

Малдер колебался. Рациональная часть его сознания подсказывала ему, что это не может быть его сестра.

Стоя рядом, моргая и щурясь от слишком яркого света, Малдер изучал женщину, парившую в замороженном геле, подобно насекомому в янтаре.

Он отметил, что ее лицо выглядит удивленным, глаза широко распахнуты, рот слегка приоткрыт, как будто кто-то запечатлел это выражение фотообъективом.

Слой геля стал прозрачнее, как будто его размешивал невидимый поток энергии. Малдер разглядел зелено-карие глаза, маленькую худенькую фигурку; казалось, ей был бы впору водолазный костюм, который надевала Скалли. Лицо обрамляли пряди длинных волос цвета корицы, на щеке краснели свежие царапины.

Из всех чудес, которые он обнаружил внутри покинутого корабля, это поразило его больше всего.

После стольких дней безрезультатных поисков он неожиданно нашел Кассандру Рубикон.

29

Руины Кситаклана.
Среда, 2.33

Майор Джейкс приказал Скалли лечь на землю, и ей ничего не оставалось, как подчиниться.

Он проревел своим солдатам, чтобы они предприняли решительную контратаку. Случайный выстрел снайпера из зарослей разнес дуговую лампу, но взамен коммандос Джейкса вновь запустили в небо фосфоресцирующую вспышку.

Два солдата установили небольшую ракетную установку и миномет. Скалли зажала уши, когда коммандос начали оглушительную пальбу по джунглям.

Рассыпанные по лесу защитники свободы Кинтана-Роо ответили нестройными, растерянными выстрелами. Когда же деревья, срезанные осколками мин и непрерывными разрывами ракет, стали падать, Скалли услышала панические крики и отчаянные вопли боли.

Из леса застрекотала очередь автоматных выстрелов. Двух солдат Джейкса швырнуло на землю разрывами крупнокалиберных пуль. Один из них еще стонал, другой умолк навеки.

— Оставайтесь в укрытии, — закричал майор, резко придавив Скалли к призрачной защите полотнища палатки.

Окружающие их джунгли загорелись. Место убитого солдата у ракетной установки занял другой и выпустил четыре небольшие ракеты, разрывы которых прозвучали громче недавнего вулканического гула.

В ответ снова раздались выстрелы снайперов. Сквозь треск пожара в окутанных дымом джунглях Скалли расслышала крики повстанцев, отступающих под покров макагоновых деревьев и плотных зарослей кустарника. В свете пламени метались искривленные тени.

Низко пригибаясь, подбежал перепачканный сажей солдат. По мягким чертам его округлого лица Скалли не дала бы ему больше двадцати лет, но жесткий взгляд глаз говорил о том, что он гораздо старше своего фактического возраста.

— Кажется, враг отступает, сэр, — доложил молодой солдат. — По крайней мере временно.

Майор Джейкс кивнул:

— Превосходящая огневая мощь всегда подавляет самонадеянных вояк. Прошу обойти наших и доложить о потерях.

— Я готов доложить сразу, сэр, — ответил

солдат. — По меньшей мере четверо тяжело ранены, из них трое — смертельно, один... он выглядит очень плохо, майор.

Джейкс казался ошеломленным, но быстро овладел собой.

— Осталось шестеро, — подытожил он.

Подошел еще один солдат с залитой кровью правой стороной груди, однако, несмотря на ранение, он не стал лежать.

— Партизаны исчезли в лесу, сэр, — сказал он. — Полагаем, они перегруппируются, чтобы начать новую атаку.

— Они понимают, что не могут перебить нас, — ответил Джейкс, — но могут устроить засаду в лесу, когда мы будем уходить.

— Прикажете отправиться в лес и поймать их, майор? — спросил раненый, зажимая рукой текущую кровь.

Майор покачал головой:

— Что слышно об их вожаке? Человеке, который предъявлял нам требования?

— Ничего определенного, сэр, — ответил солдат.

Он отнял руку от груди, расправляя слипшиеся от крови пальцы. Скалли увидела круглую красную рану с обожженными краями, пробитую в его груди пулей, прошедшей навылет. Солдат взглянул на испачканную ладонь и бесстрастно вытер ее о брюки, словно очистил руку от случайно раздавленного жука.

— Мы думаем, вожак тоже скрылся в джунглях. К сожалению, он, кажется, не ранен. Последний раз его видели, когда он прорывался к главной крепости руин, вон туда. — Солдат указал на пирамиду Кукулькана. — Возможно, там их опорный пункт или склад боеприпасов. Как раз наша основная цель.

— Это место археологических раскопок, а не военный объект, — сказала Скалли, с трудом поднявшись на колени и отползая от майора.

Она разозлилась, видя смерть и тяжелые ранения, все эти бессмысленные разрушения, произведенные как повстанцами Баррехо, так и коммандос Джейкса.

— Это всего лишь древние руины майя, разве вы не видите. Ничего больше!

— Все свидетельствует об обратном, — с каменным лицом глядя на нее, сказал майор. — Если Кситаклан всего лишь руины, имеющие историческое значение, тогда почему шайка повстанцев защищает их не на жизнь, а на смерть?

Он повернулся к молодому солдату, стоявшему рядом в ожидании приказа:

— Направляйтесь к объектам задания. Установите два миномета и будьте готовы через десять минут.

— Есть, сэр, — сказал солдат и, пригибаясь к земле, побежал через открытую площадь, хотя огонь уже прекратился.

— Но по какому праву вы являетесь сюда, нападаете на независимую страну и уничтожаете сооружения огромной археологической ценности? — возмущенно спросила Скалли. — Этим руинам более тысячи лет, и они еще не изучены археологами и историками. У вас нет доказательств того, что здесь находится склад оружия или партизанская база.

Майор Джейкс достал из объемистого кармана брюк ее документы, еще раз внимательно просмотрел карточку и все вернул ей.

— Очень хорошо, агент Скалли, — произнес он. — Позвольте мне представить мои доказательства. Но поскольку вы оказались свидетелем этой секретной миссии, то обязаны молчать обо всем, что видели.

— Я имею допуск к материалам по вопросам безопасности и умею держать язык за зубами, — сказала Скалли. — И больше я ничего не скажу. Пока!

— Пожалуйста, пройдите со мной к ведущему вездеходу.

Не ожидая, когда она последует за ним, он пригнулся и побежал к машинам. Скалли побежала за ним, подражая его манере скрытого передвижения, вспомнив свои тренировки в Куантико. Она усмехнулась про себя, подумав, как наличие опасности освежило ее память. Но на этот раз такая предосторожность явно была не лишней: Кситаклан стал полем беспощадной битвы. Впрочем, по счастью, выстрелов со стороны снайперов не последовало, и они благополучно добрались до машин.

Майор Джейкс открыл ключом дверцу одного из отделений и достал тонкую папку с документами: фотографии и отчет на тончайшей, растворимой в воде бумаге. Он извлек из папки два черно-белых снимка, сделанных со спутника. Изображение на них было неясным, словно на десятой факс-копии.

— Эта фотография показывает, что осталось от поместья главного наркобарона Центральной Америки Ксавье Салида. Поместье охранялось очень строго и было оснащено надежными средствами защиты. Мы давно знали о незаконной деятельности Салида. Агентство по борьбе с наркотиками совместно с мексиканской полицией пыталось засадить наркобарона в тюрьму, но его нельзя было взять. Слишком многих политиков кормил он из своего кармана. В этой стране всегда одна и та же проблема с наркодельцами.

— Если вы сотрудничали с местными полицейскими типа Карлоса Баррехо, то я могу понять почему, — мрачно сказала Скалли и приблизилась, чтобы лучше рассмотреть фотоснимок. — А, собственно, зачем мне смотреть на кратер? Наверняка ваша же команда и взорвала поместье, потому что не могла захватить законно? А теперь вы собираетесь сделать это в Кситаклане — оставить на его месте огромный кратер?

— Нет, — ответил Джейкс, нисколько не задетый ее словами. Даже недавний бой, казалось, абсолютно не взволновал его. Небольшая рана на плече уже не кровоточила. — Мы не имеем никакого отношения к тому, что произошло. Радиус кратера и его поверхность, так же, как сейсмические записи и слабая атмосферная вспышка, зарегистрированная одним из наших спутников, которые следят за поверхностью Земли, — все это позволяет сделать лишь одно заключение: налицо результат применения тактического ядерного оружия.

— Вы хотите сказать, что кто-то швырнул атомную бомбу в мексиканского мафиози? — недоверчиво спросила Скалли.

— Именно это неоспоримо доказывают все признаки, агент Скалли. Ничто другое не может сопровождаться таким выбросом энергии и столь высокой температурой.

— Но как? — спросила она. — Откуда мог конкурент наркобарона достать себе ядерный заряд?

Джейкс поджал губы:

— Возможен такой вариант. Определенное количество ядерного оружия оказалось растащенным в период развала Советского Союза. Возможно, какая-то часть попала в руки террористов. Эти слизняки добиваются лучших результатов, уничтожая друг друга, чем мы, когда арестовываем их.

— Ядерным оружием? А это не слишком? — спросила Скалли, впиваясь глазами в снимок.

Майор Джейкс не ответил на вопрос.

— Мы также знаем, что революционная

группа «Либерасьон Кинтана-Роо», джентльмены, которые стреляли в нас сегодня вечером, приобретают оружие для своей безнадежной борьбы против центрального мексиканского правительства. Мы очень озабочены тем, не попала ли одна или больше единиц ядерного оружия в их руки. Полагаем, что партизаны могут без колебаний применить его в густонаселенных районах.

Скалли кивнула, с тревогой понимая теперь мотивы, побуждающие Джейкса и его коммандос к крутым мерам. Она сжала губы, когда подумала о том, что убийцы археологов могли иметь отношение к партизанам Баррехо или торговцам, продающим оружие наркобаронам. Может, нелегальные революционные группы использовали Кситаклан как до сих пор не обнаруженную секретную военную базу, но вдруг появилась шумная команда американских ученых, которые начали повсюду совать свои носы?

Однако это не спасет Малдера, который два часа назад убежал по направлению к пирамиде. Она хотела надеяться, что он не попал в плен к повстанцам и не убит.

— Все-таки я не могу понять, почему Кситаклан? Почему именно здесь? — сказала Скалли. — Эти отдаленные руины стояли нетронутыми десятки веков. Тут нет дорог, энергии, оборудования. Сразу видно, что это не тщательно охраняемая территория. Здесь ничего нет. Почему же именно в этом месте развертывается такая борьба?

Джейкс потянулся к приборной доске вездехода. Он включил экран компьютера, который осветился серым, потом серебристо-голубым светом, затем на нем появилось мелкомасштабное изображение топографической карты с отметкой того места, где они находились, сделанной с фотографии, снятой с высоты над полуостровом Юкатан. Джейкс нажал несколько кнопок, и карта уменьшилась. Из определенной точки исходили лучи пульсирующего светового сигнала, подобного сонару или бьющемуся сердцу.

— Этот сигнал исходит отсюда, агент Скалли. Перед взрывом крепости Ксавье Салида сигнал был принят нашими военными локаторами. Сигнал, видимо, закодирован. Мы не можем определить его происхождение и цель, но думаем, что он связан с этими действиями. Поэтому моя команда и получила приказ проникнуть сюда чего бы это ни стоило и уничтожить передатчик.

Скалли завороженно смотрела на пульсирующую точку на экране.

— Почему вы думаете, что это военный сигнал? — спросила она. — Если вы не можете расшифровать код, у вас нет оснований быть уверенными, что это угроза. Ваше предположение нелогично.

Майор Джейкс пристально всматривался в изображение.

— Наша разведка классифицировала его как военную угрозу.

— Какая разведка? Они-то знают что-нибудь, кроме того, что вы мне рассказали?

— Не мое дело задавать им вопросы, агент Скалли, — сказал майор. — Мне необходимо знать только цель и задание. Моя команда должна выполнять приказы, а не обсуждать их. По опыту скажу, что такая позиция — самая лучшая для всех, кого это касается.

Раненый солдат, покачиваясь, подошел к вездеходу. Скалли увидела, что его рана снова открылась и кровь из нее стекает на форму.

— Все готово, сэр, — сказал он. — Мы можем открыть огонь, как только вы дадите команду.

— Очень хорошо, считайте, что команда уже дана. — Джейкс выпрямился, скрестив руки на груди. Он даже не посмотрел на Скалли. — Сбейте эту пирамиду.

Скалли поглядела на силуэт зиккурата, освещенный вспышками лесного пожара, пытаясь угадать, удалось ли Малдеру найти убежище.

— Огонь! — скомандовал молодой голос.

Скалли в ужасе смотрела, как коммандос начали поливать огнем минометов древние руины.

30

Древний космический корабль в Кситаклане.
Среда, 2.41

Малдер понемногу приходил в себя от шока. Он понял, что нашел Кассандру Рубикон, попавшую в покинутый корабль, как муха в паутину, и отступил назад.

Он постарался хорошенько овладеть собой и стал внимательно осматривать все детали, вбирая в себя всю информацию, чтобы не совершить опрометчивого поступка. Необходимо было оценить ситуацию.

Он подошел к камере настолько близко, чтобы только не задеть желеобразный барьер, затем постоял, собираясь с мыслями. Он не мог рисковать и повредить здесь что-либо... а кроме того, у него не было желания оказаться в ловушке, подобно молодой женщине.

Но все-таки это было невероятно!

С трудом оторвавшись от захватывающего зрелища, он огляделся вокруг, изучая удиви-

тельную комнату в поисках ключа к выходу из
положения.

Сначала он увидел, что другие маленькие
полутемные камеры, скорее даже ниши, похожие на ту, в которой находилась Кассандра,
стояли как пустые гробы в мавзолее. Затем он
обнаружил, что в одной из них что-то виднеет-
ся...

Стараясь справиться с охватившим его волнением, Малдер подошел ко второй занятой
нише.

— Посмотрим, что за дверью номер два, —
сказал он себе.

Внутри находились древние останки существа, которые представляли собой груду истлев-
ших костей с лоскутами кое-где сохранившейся
высохшей кожи. Останки не рассыпались, видимо, только потому, что их сдерживали куски
затвердевшей, как железо, массы.

С первого взгляда Малдер не смог сказать,
была ли это мумия человека. Он вспомнил подобные высохшие тела, с которыми сталкивал-
ся, проводя другие расследования, — в могиле
старшеклассников в Орегоне, в захороненном
товарном вагоне в Нью-Мехико.

У него зародилась отчаянная надежда на то,
что эти жалкие останки принадлежат одному из
первых хозяев корабля. Может, даже самому
Кукулькану.

Скалли никогда не поверит такому заключе-
нию, пока не осмотрит все сама. Но если со-

брать вместе имеющиеся доказательства — погребенный корабль и его оборудование, резьбу майя, изображавшую астронавтов и Пернатого Змея, и добавить к ним найденные им останки, то это будет неоспоримым свидетельством визита инопланетян в древние времена даже для самого стойкого скептика, даже для Скалли.

Он повернулся к странной нише с Кассандрой, и на этот раз разница между двумя... случаями поразила его. В то время как Кассандра в своей камере была совершенно сохранившейся, словно время волшебным образом остановилось для нее, другой обитатель ниши выглядел так, будто столетия пронеслись над ним бешеным шквалом. Это высохшее тело пострадало от какого-то несчастья. Что же произошло?

Он удержался от проникновения в нишу с мумией. Не сейчас. Стены главной комнаты поблескивали пульсирующим светом, который вызывал вибрирующий звон в ушах. Тревожное сообщение передавалось на неизмеримое расстояние народу, который, наверное, перестал слушать тысячу лет назад.

Заставив себя отойти от ниш с мумией и Кассандрой, Малдер занялся осмотром главной комнаты, где вместо металлической облицовки были установлены плиты из известняка.

Он увидел рельефные изображения, подобные тем, которые встретил в верхнем храме на пирамиде. Но эти изображения были менее стилизованными и более реалистичными.

Насколько он мог рассмотреть, в сценах росписи изображалась фигура высокого чужеземца, окруженного индейцами, которые, казалось, поклонялись ему... или боялись его. Богоподобный — Кукулькан? — стоял, окруженный несколькими чудовищными пернатыми змеями.

Малдеру почудился за спиной шелестящий звук. Это были прекрасно воспроизведенные изображения того существа, которое он видел в лунном свете двумя ночами раньше. Гибкие, с тусклым блеском... неземные туловища.

Он изучал последовательный ряд рисунков на стенах, изображающих сцены жизни народа майя, возводящего храмы, города в джунглях. В каждой сцене пришелец в окружении почтительных аборигенов показан со спины, с поднятой головой, невидимое лицо поднято к небу... как будто он кого-то ждет. Может, спасителя?

Но по непонятной ему самому причине Малдер думал, что Кукулькан намеренно вернулся в корабль, в одну из этих камер, чтобы остаться здесь... и умереть.

Если только не произошло что-то непредвиденное.

Малдер вновь подошел к нише с молодой женщиной, страстно желая, чтобы она пошевелилась, чтобы моргнули глаза, грудь поднялась бы в дыхании, но ничего не изменилось.

Однако сквозь «янтарь» Кассандра не казалась безжизненной. Ток крови все еще окрашивал ее лицо, на щеке сверкали алые следы, словно ее оцарапал осколок. Волосы казались взмокшими от пота, кожа запыленной, как будто женщина прокладывала дорогу через загроможденные камнями катакомбы в пирамиде. Она выглядела изможденной, опаленной солнцем... испуганной.

Но не мертвой. Малдер видел достаточно, чтобы определить это.

Предположив, что обнаруженное им сооружение было погребенным межпланетным кораблем, он подумал: а вдруг это какая-то анимационная статическая камера, в которой время останавливается для космических исследователей, совершающих непостижимо долгие путешествия через пустоту космоса? Он видел воплощение этой идеи в многочисленных научно-фантастических фильмах. Может, инопланетяне действительно изобрели такой способ сохранения жизни.

Он осмотрел стены рядом с нишей Кассандры и не увидел ни контрольных датчиков, ни разноцветных кнопок, которые подсказали бы ему, как растопить застывшую субстанцию.

Тогда он протянул руку, чтобы дотронуться до холодного дымчатого вещества, воображая, что, может, просто возьмет Кассандру за руку и поднимет из прозрачного геля, как прекрасный принц разбудил Спящую красавицу.

Он поколебался, прежде чем коснуться пальцами реальной субстанции, опасаясь, что сам попадет в эту ловушку — два образца вместо одного и за ту же цену... Но он должен рискнуть всем. Малдер резко вытянул руку, прежде чем возросли его сомнения.

Едва он коснулся холодной желатиновой стены, она... лопнула как мыльный пузырь. Блестящая, быстро испаряющаяся жидкость выплеснулась на него.

Кашляя и задыхаясь, Кассандра Рубикон склонилась к нему, словно продолжая прерванный панический бег. Она наткнулась на него и закричала. Он отскочил, чтобы защититься, так как женщина набросилась на него с кулаками, разбрызгивая капли влажного геля.

— Нет! — кричала она. — Оставьте меня!

Она схватила тяжелый фонарь, висевший у нее на поясе, и замахнулась им на Малдера, словно металлической палкой.

Он увернулся. Затем, применив прием рукопашной борьбы, одной рукой обхватил тонкие запястья, а другой выбил прочь фонарь и поднял обе ее руки вверх.

— Спокойно! Я агент ФБР. Я здесь, чтобы спасти вас.

Кассандра дрожала и не двигалась.

— Были какие-то выстрелы... и очень яркий свет.

Она смахнула со щеки студенистую влагу и, изумленная, осмотрелась по сторонам. Казалось, она находилась в состоянии прострации, как будто ее мозг не совсем еще разморозился.

Малдер сел, не сводя с нее настороженного

взгляда. Он понимал, что выглядит пугающе: в грязной мятой одежде, потный и перепачканный тиной сенота. Но покрытая липкой, быстро испаряющейся жидкостью женщина выглядела еще хуже.

Она слегка отряхнула рубашку.

— Как я понимаю, вы Кассандра Рубикон? — Она кивнула, и он продолжил: — Вы и ваша группа пропали больше двух недель назад.

— Не может быть, — сказала она и опять закашлялась. — Мы пробыли здесь всего несколько дней. — Она высморкалась в полу рубашки. — Что это за вещество?

Малдер покачал головой:

— Ваш отец обратился к нам неделю назад, во вторник. Мой напарник и я прибыли с ним сюда, чтобы разыскать вас в Кситаклане.

Он заколебался, но она должна была знать правду. Лучше сразу все сказать, хотя он не решался сейчас сообщить ей об отце.

— Мне очень жаль, но мы обнаружили остальных четырех участников вашей экспедиции мертвыми — убитыми и сброшенными в сенот.

Кассандра огляделась вокруг, прокашливаясь. В ее голосе звучала скорее ненависть, чем страх.

— Это те люди с оружием, — сказала она. — Ублюдки. Кто они? Что им было нужно?

— Думаю, они члены революционной группы. Сегодня вечером наверху они составили нам компанию.

Невидящим взглядом Кассандра уставилась на свои пальцы. Для нее гибель друзей произошла всего минуту назад.

— Тогда как... как я убежала? — Она стиснула зубы и проговорила с ненавистью: — Мерзавцы!

— Мы нашли тех четверых, но никак не могли найти вас, — продолжал Малдер. — Я только что случайно нашел вас здесь. Вы были пойманы... и я освободил вас из... что бы то ни было, вы оказались внутри этого.

Кассандра вытерла глаза и пристально посмотрела на металлические стены, но, видимо, зрение ее не фокусировалось.

— Этот состав жжет глаза, я почти ничего не вижу.

Малдер предложил ей носовой платок, чтобы обтереть лицо. Она продолжила свой рассказ:

— Я вбежала в пирамиду, чтобы спастись... заблудилась... попала сюда. Не знаю, что случилось потом. На меня обрушились потоки света, обжигающего и леденящего одновременно.

Совершенно растерянная, она сидела на полу рядом с ним.

— Я больно ударила вас?

Малдер покачал головой.

— Хорошо, что вы не владеете карате, — сказал он, потирая синяк на руке.

Затем он неожиданно сообразил, что пульсирующий сигнал SOS прекратился, как только он освободил ее из ниши. Мерцающий свет, разливающийся по главной комнате, стал слабеть. Сигнал затих, и теперь покинутый корабль, казалось, снова готовился погрузиться в сон.

Из покрасневших, раздраженных слизью глаз Кассандры потекли слезы.

Малдер снова вытер ей лицо и решил, что для нее будет слишком, если он расскажет о своем предположении, что они находятся на межпланетном корабле пришельцев из космоса, погребенном под руинами Кситаклана. Или о том, что, по его мнению, она случайно натолкнулась на спасательную лодку этого корабля. Вероятно, Кассандра каким-то образом включила автоматическую систему, которая поместила ее в анимационную камеру.

Малдер встал и помог встать Кассандре. Она потянулась, потрясла для проверки руками. Холодный гель начал высыхать, превращаясь в тонкую пленку на одежде и на коже. Она немного покачивалась от головокружения, потом несколько раз глубоко вздохнула.

Малдер осмотрелся, но пульсирующий световой сигнал не возобновлялся. Он снова подумал, что появление Кассандры в анимационной камере включило сигнал бедствия. Это подтверждало его версию об автоматической системе, все еще действующей на корабле.

Малдер решил, что настало время отправляться в обратный путь:

— Благодаря вашим исследованиям, мы знаем, что отсюда есть выход в пирамиду. Это здорово, потому что мне не очень хочется снова лезть по стенам сенота.

— Я все еще плохо вижу, — сказала Кассандра, следуя вплотную за ним, когда они выходили из главной комнаты. Затем она нерешительно спросила: — Мой отец... он пришел с вами?

У Малдера сжалось сердце.

— Да, он пришел с нами. Мы старались уговорить его дождаться нашего возвращения в Штатах, но он не хотел и слышать об этом. Он стремился нам помочь. Но доктор Рубикон... его тоже убили люди, которые пытались убить вас... Я очень сожалею.

Кассандра остановилась на полушаге и, покачнувшись, прислонилась к грубой стене, из которой выпали металлические пластины, валявшиеся рядом на полу. Она смотрела на Малдера остановившимися глазами. Потом, не промолвив ни слова, сползла на пол, подтянула колени к груди, обхватила их руками и опустила голову.

Малдер понимающе и сочувственно смотрел на нее. Он погладил ее по голове и легонько потрепал по плечу. Ей нужно было побыть одной.

— Я пройду вперед и найду выход, — сказал он. — Сидите сколько нужно.

Кассандра кивнула, не поднимая головы.

Оглянувшись на нее последний раз, Малдер начал подниматься по уходящей вверх наклонной плоскости. Он чувствовал глубокую жалость к Кассандре, переполненный впечатлениями от виденного и тревожась о том, что их встретит наверху: поле сражения, снайперы, выстрелы. Он надеялся, что Скалли жива и в безопасности.

Переход, стены которого были сделаны из оплавленного камня, становился все темнее. Устланный пластинами пол сменился известняковой тропой. Малдер понял, что перебрался в пирамиду. Впереди наверху он увидел то самое место, где оказался, когда искал Владимира Рубикона, только теперь он стоял по другую сторону завала. Его охватила радость — путь свободен!

Потом он повернул за угол и лицом к лицу столкнулся с Карлосом Баррехо. Луч фонаря полисмена пронзил мрак, ослепив агента. Баррехо держал револьвер, направив его на Малдера.

— Агент Малдер! — Его губы сложились в странную улыбку. — Я был уверен, что найду вас в пирамиде. К сожалению, не могу вам позволить выйти отсюда живым.

31

*Руины Кситаклана.
Пирамида Кукулькана.
Среда, 3.27*

Малдер инстинктивно отступил назад и наткнулся на стену. Револьвер решительно настроенного Баррехо угрожал ему. Малдер не видел, держит ли тот палец на спусковом крючке, поэтому мог в любой момент ожидать выстрела.

Малдер еще раз пожалел, что майор Джейкс отнял его пистолет.

— Если рассуждать логично, — сказал он, отступив еще на шаг, — можно догадаться, что вы один из тех, кто убил археологов.

Малдер осторожно пятился по коридору. За ним, не опуская револьвера, нацеленного ему в грудь, с охотничьим блеском в глазах крадущейся поступью следовал Баррехо. Он ответил только загадочной улыбкой.

Малдер продолжал:

— Итак, вы позволили археологам найти новые сокровища — бесценные реликвии доколумбового периода, которые баснословно ценятся на черном рынке.

Баррехо пожал могучими плечами:

— «Либерасьон Кинтана-Роо» нуждается в деньгах.

Малдер сделал еще шаг назад. Ослепляя его фонарем, Баррехо, казалось, забавлялся этой попыткой бегства.

— Думаю, что Фернандо Агилар находил для вас покупателей. Он ведь тоже с вами заодно, ведь так?

— Он только обогащался, — ответил Баррехо, раздраженно нахмурившись. — Противно видеть человека, который не имеет другой цели, кроме удовлетворения своей алчности.

— Да, зато я вижу, что лично вы — превосходный человек.

Спуск закончился, Малдер продолжал отступать, отвлекая полисмена разговором. Баррехо неотступно преследовал его, наблюдая, как жертва все глубже увязает в ловушке.

— Но зачем понадобилось убивать археологов? — продолжал Малдер. — Вы только привлекли к себе внимание. Их экспедиция была санкционирована центральным мексиканским правительством.

Баррехо снова пожал плечами:

— Правительство ничего не знает о проблемах Кинтана-Роо. Это наша собственная земля, наша история. Мы должны стать независимым государством, как Белиз, как Сальвадор и Гондурас.

— Не могли бы вы дать мне брошюру или еще что-нибудь, чтобы я сам почитал об этом, — сказал Малдер, — вместо того, чтобы произносить целую речь?

— Мы хотели взять американцев как заложников. И все. Политических заложников.

— А-а, понимаю, — поднял брови Малдер. — Тогда они, наверное, были убиты при попытке к бегству. И вам не осталось ничего, как бросить их в сенот.

— Некоторые из наших революционеров все еще верят в необходимость жертвоприношений старым богам, — сказал Баррехо, придвигая револьвер ближе к Малдеру и направляя свет фонаря прямо ему в глаза.

Малдер сощурился и поднял руки, закрываясь от света, отступая к повороту.

— Каждый должен жертвовать чем-нибудь, — заметил Баррехо.

Малдер отступил за угол, рассчитывая, что Баррехо так и будет идти за ним, продолжая игру.

Шеф полиции ухмыльнулся, блеснув в темноте белыми зубами, и вплотную приблизился к нему. Малдер понял: его время кончилось.

Когда внушительная фигура полицейского появилась из-за угла, из тени выступила Кассандра Рубикон. В руках у нее была одна из тех металлических плит, что валялись на земле, упав со стены. Она подняла плиту обеими руками и со всей силой обрушила ее на голову Баррехо. Фуражка полицейского отлетела в сторону, а тело тяжело рухнуло на пол.

Кассандра отбросила протяжно загудевшую плиту, пораженная тем, что сделала. Карлос Баррехо рычал от боли, цепляясь ослабевшими руками за стену. Он не умер, даже не потерял сознания, но был на мгновение оглушен.

Малдер не решился отнять у него револьвер. Он схватил Кассандру за руку, увлекая ее за собой.

— Скорее, мы должны бежать, — сказал он. — Это один из тех, кто стрелял в вас.

Она рванулась вслед за ним назад к капитанскому мостику.

— Этот человек убил Кейт и Джона, Кристофера и Келли? — спросила она ледяным голосом.

— Да, боюсь, что он.

— Тогда нужно было ударить его посильнее, — ответила Кассандра.

Малдер помог ей сбежать по наклонному проходу. Секунду спустя Карлос Баррехо с яростным ревом бросился за ними. Он дважды выстрелил, и пули рикошетом отскочили от стен.

Задыхаясь, Кассандра проговорила:

— Ружейные выстрелы... Это они загнали меня сюда вниз. Я до сих пор ничего не вижу... мне жжет глаза.

Они вбежали в туннель, и стены, еще мерцавшие слабым светом, через мгновение потемнели. Их тронутые ржавчиной выпуклые металлические и хрустальные поверхности производили странное впечатление анахронизма рядом с известняковыми плитами, покрытыми древними письменами майя, вставленными когда-то жрецами на место выпавших или украденных пластин.

Малдер вел за собой спотыкающуюся, полуслепую Кассандру. Когда они добрались до капитанского мостика, он поставил ее за сверкающее возвышение и прошептал:

— Оставайтесь здесь и пригнитесь.

— У вас есть план? Или мы просто убегаем?

— В данный момент побег — это лучшее, что можно придумать, — сказал Малдер, останавливаясь в странном, внушающем суеверный страх главном помещении.

На капитанский мостик, покачиваясь на нетвердых ногах, влез Карлос Баррехо. Он моргал мутными глазами. Темные волосы пропитались кровью, которая сочилась из небольшой раны на голове и тонкой струйкой стекала на щеку. Его форменная фуражка, видимо, так и осталась в туннеле, там, где он ее потерял.

Оставив Кассандру в укрытии, Малдер метнулся в сторону. Карлос Баррехо уловил в темноте движение. Он схватил револьвер и стал судорожно палить в ту сторону, но жертва исчезла. Одна из пуль влетела в темную нишу, где покоились останки того, кто, по мнению Малдера, мог быть Кукульканом.

— Где вы? — заорал Баррехо, стирая кровь с лица, и замычал от боли, случайно коснувшись раны. — Что это за место?

Помутившимися глазами он рыскал по темному помещению, но, казалось, был не в состоянии различать предметы. Малдер подумал, уж не получил ли он сотрясение мозга от удара Кассандры.

Баррехо двинулся вперед, паля наугад куда попало. Пуля ударила в центральное возвышение из металла и хрусталя, выбив сверкающий холодным голубовато-зеленым огнем град осколков.

Надеясь каким-то образом отвлечь Баррехо, Малдер схватил с пола осколок хрусталя и бросил его, целясь полисмену в голову, но промахнулся. Баррехо заметил быстрое движение, увернулся и тут услышал звук удара по внутренней стене узкой ниши, той самой, где была найдена Кассандра. Как спринтер, Баррехо рванулся на звук, взмахнув пистолетом.

Выстрелив еще раз, он ворвался в камеру.

Внезапно на полицейского хлынул водопад ослепительного света.

Малдер инстинктивно прикрыл глаза ладонью.

Баррехо раскинул дрожащие руки и вытаращил глаза, клацая зубами. Мерцающий легкий гель стремительно обволакивал его тело, застывая на воздухе. Грудь поднялась в последнем дыхании, и Баррехо застыл на месте, как попавшая в смолу мушка. «Янтарь» затвердевал.

Баррехо висел неподвижно, как экспонат в музее, замерев на полувздохе; изумленные глаза еще жили, а на щеке застывали капли крови.

Малдер уловил неясный вибрирующий звук, как будто погребенный корабль снова стал посылать сигналы SOS. Но нельзя было разобраться, к кому же он обращен.

Кассандра поднялась с пола, отряхиваясь и разминая затекшие ноги. Вид у нее был удовлетворенный. Осторожно пробравшись вперед, она остановилась перед переливающейся мягким светом стеной, вглядываясь в ее прозрачную глубину.

Малдер неподвижно стоял позади нее, чувствуя тяжелые удары собственного сердца.

Насмотревшись, молодая женщина послала Баррехо холодную усмешку.

— На сей раз я по эту сторону стены. И такой вариант мне нравится больше, — прошептала она.

32

Руины Кситаклана.
Пирамида Кукулькана.
Среда, 3.51

Сверху донесся страшный грохот, Малдер взглянул на потолок и увидел, что тот вздрагивает. Когда раздался второй глухой удар, Малдер с ужасом подумал, что под Кситакланом снова начинается землетрясение, но на этот раз они в ловушке, в брошенном корабле, и надежды, что он выдержит толчки, нет.

Затем, один за другим, послышались удары. Малдер пригнулся к полу. С потолка сыпалась пыль.

— Звуки напоминают взрывы, — сказала съежившаяся рядом с ним Кассандра.

— Да, — согласился Малдер. — Очень похоже на бомбежку. Думаю, майор Джейкс наверху немного разгорячился, но вот не знаю, выдержат ли эти руины еще несколько ударов. Мне не улыбается мысль быть похороненным заживо, а вам?

Кассандра побледнела и покачала головой:

— Я тоже не стремлюсь к тому, чтобы стать экспонатом в археологическом музее.

— Давайте попробуем еще раз, — сказал Малдер и повел ее к верхнему выходу. — Нам нужно подняться в пирамиду. Если Баррехо смог сюда попасть, значит, проход открыт.

— Во всяком случае, пока, — заметила Кассандра.

Они вскарабкались по крутому подъему, оставив полицейского в ловушке. Если все обойдется, агенты всегда смогут вернуться и арестовать его.

Малдер зажег фонарь, когда они оказались в более темных коридорах, выложенных известняковыми плитами. Кассандра с развевающимися на бегу волосами в нетерпении поспешила к появившемуся впереди завалу. Оказалось, что Баррехо своим мощным телом расширил лаз настолько, что они могли спокойно пролезть по нему.

Кассандра взобралась на груду камней и поползла по проходу, огибая крупные камни. Малдер подтолкнул ее, и женщина исчезла в темноте норы. Выбравшись, на другой стороне, Кассандра тотчас повернулась, чтобы подать ему руку. С неожиданной силой она тянула его к выходу. Он протискивался сквозь узковатую для него щель, обдирая бока острыми камнями, и наконец спрыгнул с кучи обломков на пол коридора рядом с Кассандрой. Они оказались в верхнем коридоре пирамиды.

Малдер огляделся кругом и отряхнул одежду.

Снаружи донеслись удары, теперь еще более грозные и близкие. Малдер зажег фонарь и увидел, как с потолка потоком сыплется пыль. Одна из поддерживающих балок начала трещать от напряжения.

— Надо спешить, пока они не рухнули и не запечатали нас здесь, — сказала Кассандра.

Они побежали дальше по изгибающемуся туннелю с оплавленными стенными блоками.

— Минутку! — Кассандра достала из кармана листок бумаги, на котором отмечала свой путь во время исследования пирамиды. — Давайте проверим дорогу. Читать придется вам, я все еще плохо вижу.

— Я сам добрался до этого места два дня назад, — сказал Малдер, вспомнив, как Скалли звала его, когда обнаружила в сеноте тело Владимира Рубикона. — Хотя дальше я не пошел... Меня прервали.

Кассандра не обратила внимания на заминку. Она облизнула пересохшие губы и сказала:

— Ну, мне-то кажется, что прошло только около часа. По-моему, нам сюда.

Она повернула в переход, поднимающийся вверх и отличающийся от предыдущего своими стенами.

Гораздо ближе к ним раздался новый взрыв. Пол и толстые стены пирамиды задрожали. Каменные блоки ударились друг о друга.

— Какой громкий звук, — сказала Кассандра. — Это значит, что мы недалеко от входа.

— Будем надеяться.

Они услышали еще один взрыв и свист воздуха.

— Ого, это мина. Кто-то палит из миномета. — Неожиданно Малдер вспомнил задание майора Джейкса и его коммандос. — Кажется, они хотят уничтожить пирамиду.

— Никакого уважения к древности, — заметила Кассандра.

Они обогнули угол и прямо перед собой увидели выход на площадь. Ночное небо освещалось лесным пожаром и белыми вспышками горящего фосфора.

— Не знаю, стоит ли выбегать, чтобы попасть в самое пекло, — сказал Малдер. — Пригните голову.

Сразу после этих слов он увидел вспышку, услышал свист снаряда и, инстинктивно схватив Кассандру, прижался с ней к стене. Один из снарядов попал в фасад пирамиды как раз над дверным проемом. От взрывной волны Малдеру заложило уши. Лавина взорванных блоков и камней рухнула, полностью закрыв вход. Низкий потолок коридора раскололся и провалился внутрь как раз в тот момент, когда Малдер утащил Кассандру глубже в туннель. Оба совершенно ослепли от яркой вспышки и последовавшей затем внезапной темноты.

Они задыхались и кашляли от горячих газов и всепроникающей каменной пыли, когда пробирались туда, откуда только что вышли.

— Это становится смешным, — сказала Кассандра, хрипло дыша. — Нам никогда не выйти из туннеля.

— Надо идти к комнате с резными плитами. Попробуем тот ход, по которому я попал сюда. На третий раз должно получиться.

Малдер вел Кассандру все глубже под землю, ссылаясь на свою великолепную память, но он немного плутовал: в пыли коридоров отчетливо виднелись его следы.

— Этот переход ведет к сеноту, — сказал Малдер. — Когда попадем туда, придется взбираться с помощью рук.

— Сенот? — спросила Кассандра. — Но мы, вероятно, находимся ниже уровня воды. Мы поплывем или как? По крайней мере я смою с себя всю эту грязь.

Малдер удивленно уставился на нее:

— О, я забыл вам сказать: благодаря землетрясению священный сенот теперь просто огромная полая скважина.

— Какому еще землетрясению?

— Вы слишком долго спали.

Они добрались до древнего металлического люка, который Малдер обнаружил, когда спустился в сенот. Стоя у таинственного входа в заброшенный корабль, Кассандра с любопытством выглянула в колодец. Она увидела шишковатые известняковые стены, из которых сочилась вода, почувствовала едкий запах вулканических газов.

— Мне приходилось слышать, как быстро разрушаются древние археологические местности, когда появляются посторонние, — сказала Кассандра, — но это превосходит мои ночные кошмары.

Далеко вверху небо озарялось пожаром и разрывами мин.

— Осторожно, — предупредил Малдер.

Он вылез, подал ей руку, и они оказались на скользком от водорослей уступе.

— Первую половину пути нам придется одолеть самим, — пояснил Малдер, — но начиная вон оттуда, сможем воспользоваться веревками, которые мы здесь привязали.

— А зачем вам понадобились веревки?

Малдер замялся:

— Ну, мой партнер Скалли брала ваш водолазный костюм, чтобы опуститься в воду. Это здесь она обнаружила тела ваших товарищей... А я воспользовался веревками, чтобы поднять вашего отца. Мы нашли его тоже здесь, в священном колодце.

Кассандра сжала побелевшие губы и кивнула:

— Я рада, что вы достали его до того, как вода ушла отсюда... хотя и не могу представить более подходящей могилы для такого закоренелого диггера, каким был он.

Малдер ухватился за первую выемку руками и осторожно подтянулся, считая, что подъем не так страшен, как спуск. Сейчас он мог смотреть наверх и видеть цель, а это совсем другое дело, чем спускаться в неведомую глубину.

Легкая и гибкая, как кошка, Кассандра находила крошечные выступы, за которые Малдер даже не пытался уцепиться. Они медленно карабкались вверх по шероховатым стенам, пока не достигли оборванных концов висящих веревок.

Снизу все еще восходили пары вулканических газов. Малдер знал, что они еще не преодолели середину подъема, но решил не останавливаться, чтобы не потерять темпа.

Его башмак соскользнул, и он вцепился в веревку. Кассандра мгновенно схватила его за кисть руки.

— Спасибо, — сказал он.

— Не за что, — ответила Кассандра. — Уверена, вы сделали бы то же самое для меня.

Он нащупал ногой надежную опору, и они продолжали одолевать последние метры до выхода из сенота — ровной известняковой площадки, с края которой одурманенные зельем жертвы сбрасывались в глубокую скважину, и она жадно поглощала их тысячи лет.

Решив держаться осторожно, Малдер и Кассандра приподняли головы над краем колодца, вглядываясь в пирамиду Кукулькана, силуэт которой виднелся в отблесках огня.

Часть пирамиды обрушилась. Выстрел миномета пробил огромную дыру в украшенной искусной резьбой лестнице.

Малдер увидел неясные силуэты людей, мечущихся по площади в поисках укрытия. Обе резные стелы были опрокинуты, из палаток каким-то чудом уцелела одна. Малдер заметил фигуры людей в камуфлированной форме, которые, пригнувшись, передвигались короткими перебежками. На одном из бежавших одежда была другая. Это Скалли!

Прежде чем они успели перелезть через край колодца, Малдер услышал гортанные выкрики на языке майя, доносившиеся из джунглей. Их заглушили автоматные очереди атакующих повстанцев, выскочивших из-за деревьев. Партизаны вели огонь по оставшимся в живых солдатам, которые отвечали им тем же.

Пространство площади непрерывно простреливалось. Соперничая с ярким светом луны, в небо взмыли две фосфорные ракеты, рассыпавшись беспощадным огнем.

Малдер наблюдал, выжидая, и вспоминал относительный покой погребенного космического корабля.

33

Руины Кситаклана.
Среда, 3.26

Скалли зажала уши, когда миномет послал очередной снаряд в полуразрушенный зиккурат. Она пригнулась, солдаты тоже приникли к земле, прикрыв уши руками. Снаряд взорвался в основании пирамиды. Огонь, дым и град осколков разлетелись во все стороны. После сокрушительного удара в лестнице образовались огромные трещины — на тех самых ступенях, по которым она недавно поднималась к площадке на самом верху, откуда открывался захватывающий вид на бескрайние джунгли.

Удары следовали один за другим в течение часа, но древнее сооружение пока не поддавалось энергичному напору коммандос.

Скалли несколько раз пыталась убедить Джейкса прекратить разрушение, не допустить уничтожения сокровищ седой старины. При этом в мозгу постоянно билась тревожная мысль о Малдере. Она не знала, где он скрылся, но неизвестно почему была уверена, что Малдер находится в гуще событий.

— Сколько еще это будет продолжаться? — спросила она, ощущая при этом, что голос отдается в ушах. — В пирамиде могут быть люди.

— О них можно только пожалеть, — отвечал майор Джейкс.

— А вас это не волнует? — воскликнула она, словно упрямый ребенок хватая его за рукав и чувствуя, насколько это безнадежно. — Неужели вы не видите, что творите?

Джейкс бесстрастно взглянул на нее. Потом на его лице промелькнуло странное выражение.

— Нет, агент Скалли, не волнует. Я не должен ни к чему испытывать сочувствие, это слишком опасно.

— Вы убеждаете себя, чтобы не думать о бессмысленности и жестокости своих действий? Вы не можете не задумываться о последствиях.

Он не шелохнулся.

— Мой разум — это машина, способная выполнить кажущиеся невыполнимыми задания, но только потому, что я никогда не разрешаю себе отступать от приказов. Когда очень много размышляешь, возникают вопросы, сомнения, а это вносит сумятицу.

Я много раз бывал в аду, агент Скалли. Карта называет это Боснией, или Ираком, или Сомали... но это был ад. — В его глазах сверкнули искорки чувств. — И если бы я слишком обременял свою совесть, то сошел бы с ума или погиб.

Скалли промолчала, и майор обернулся к оставшимся в живых солдатам.

После нескольких прямых попаданий древняя пирамида, казалось, готова была рухнуть. Огромные блоки вылетели из своих гнезд, где они пребывали веками, и опрокинулись на землю, круша своей тяжестью кружево резьбы. Колоннада верхнего храма была разбита, статуи Пернатого Змея превращены в пыль. Восточный фасад пирамиды обрушился лавиной камней, с грохотом катившихся по ступеням и усугублявших ночной мрак тучами густой пыли.

— Мы почти добили ее, — сказал майор. — Еще несколько прямых попаданий, и наша миссия будет выполнена. Соберем убитых и можем отправиться назад.

— Нет, мы не можем оставить здесь Малдера, — закричала Скалли. — Мы должны найти его. Он американский гражданин, майор Джейкс. Ваши действия вовлекли его в незаконную военную акцию, и я считаю вас лично ответственным за его безопасность.

Джейкс снова спокойно посмотрел на нее:

— Агент Скалли, меня здесь нет. Моей команды тоже здесь нет. Нашей миссии не существует. Мы не несем никакой официальной ответственности за кого бы то ни было.

Но в этот момент пуля ударила майора в левое предплечье, толкнув его на Скалли; они оба упали на землю. Он глухо застонал.

— Снайперы вернулись! — пронзительно крикнул один из солдат.

Оставшиеся в живых солдаты, пригнувшись, отходили от миномета. Над ними рассыпался град пуль. Партизаны послали свой вызов.

Коммандос укрылись за вездеходами. Они выпустили несколько очередей из автоматов в джунгли, ориентируясь на вспышки выстрелов партизан, которые начали выходить из-за деревьев.

С едва сдерживаемым стоном майор Джейкс тяжело оперся на Скалли. Он встал и зажал плечо, сквозь пальцы текла кровь. Он взглянул на нее, и она заметила кровавое пятно на своей рубашке.

— Извините, запачкал вас, — сказал он и предложил ей руку, чтобы помочь подняться.

Один солдат, который задержался у миномета, вдруг беззвучно упал навзничь, его голова быстро окрашивалась яркой кровью.

— Еще один погиб, — сказал майор. — Моя группа уменьшается с каждой минутой.

— Тогда нужно скорее убираться отсюда, — сказала Скалли. — Найдем Малдера и уходим.

— Задание еще не выполнено, — сквозь стиснутые зубы отвечал майор.

Стреляя на ходу, осмелевшие партизаны подходили все ближе. Солдаты Джейкса отвечали огнем, но их оборона, казалось, была уже сломлена. Один из солдат метнул в гущу бойцов «Либерасьон Кинтана-Роо» гранату. Она взорвалась в самом центре их скопления. Разорванные тела с раскинутыми руками и ногами взлетали и падали на деревья, загоревшиеся от осколков гранаты.

Ужасный ответ солдат заставил повстанцев дрогнуть.

Майор Джейкс схватил Скалли за руку:

— Пойдемте, я хочу, чтобы вы спрятались в палатке. А я смогу заняться обороной.

— Я не собираюсь идти в палатку. Мне необходимо остаться здесь и отыскать партнера.

— Нельзя, — возразил майор. — Вы обязаны выполнить мой приказ, и точка.

— Но палатка не может служить убежищем.

— Ничего, этого вполне достаточно, — сказал Джейкс. — Вас не должны видеть атакующие. Вам не следует быть особой целью. Это лучшее, что я могу сделать.

— Но я вас не просила...

— Нет, просили. Вы сказали, что я лично отвечаю за вашу безопасность. Поэтому я хочу увести вас отсюда, чтобы не беспокоиться за вас и не выслушивать ваши непрерывные пререкания.

Здоровой рукой он подталкивал ее в палатку. Сопротивляясь, она обернулась и закричала изо всех сил:

— Малдер!

— Он не может вам помочь, где бы он ни был. Я стараюсь защитить вас, мэм.

Она рассерженно посмотрела на него:

— Мне нужно, чтобы он знал, где я.

— Только сидите внутри, мэм.

— Не называйте меня «мэм»! — взорвалась она.

— А вы не заставляйте меня прибегать к грубости.

Побежденная и беспомощная, Скалли скорчилась в темной палатке, зарывшись в одеяла. Майор опустил полог у входа.

Скалли казалось, что она в могиле. Звуки стали глуше.

Темноту в палатке разрежали вспышки выстрелов и отдаленных разрывов мин.

Она подняла подушку, чтобы проверить, не забрались ли под нее скорпионы, и встала на колени, прислушиваясь к шуму боя. До нее доносились хриплые выкрики команд майора Джейкса.

Вдруг брезент пробила пуля и свистнула в дюйме от ее головы. В боковой стенке палатки появилось еще одно круглое отверстие.

Скалли распласталась на полу и слушала нескончаемый грохот боя.

34

Кситаклан.
Район сражения.
Среда, 4.06

Малдер помог выбраться Кассандре, затем подтянулся сам и вылез наконец из колодца на твердую землю.

Все тело ныло от напряжения, голова шла кругом, но ему нужно было сообразить, в каком направлении лучше двигаться, чтобы избежать опасности быть убитыми в гремящем вокруг сражении.

Сердце сжалось, когда он увидел, что по пирамиде продолжают наносить удары. Спрятанные в глубине останки древнего космического корабля могли бы ответить на многие вопросы археологов, которые интересуют их уже более ста лет. Но каждый снаряд уничтожал свидетельство внеземного влияния на культуру майя.

Осторожно, короткими перебежками, припадая к любому укрытию, они огибали зиккурат. Малдер хотел добраться до лагеря, расположенного на площади. Несмотря на то, что она свободно просматривалась и потому была опасным местом, ему казалось, что именно там он скорее всего найдет Скалли. Найти Скалли и не погибнуть — это было его задачей на данный момент.

Очередной снаряд взорвался на верхней площадке изящного храма, где в древние времена священнодействовали жрецы, и окончательно разрушил колоннаду, обломки которой с шумом и грохотом рухнули на землю с огромной высоты, вздымая облака пыли.

Протирая глаза, Кассандра с гневным возмущением оглядывала непоправимые разрушения:

— Сначала мои друзья, потом отец и сейчас — это надругательство!

Она не смогла сдержать стон боли и вдруг вскочила, выпрямилась во весь рост и, потрясая кулаками, закричала в ночь:

— Не делайте этого!

Словно бросая ей вызов, раздался еще один взрыв. Поднятый взрывной волной, один из громадных блоков сорвался со ступеней и пронесся над ними, разбрасывая крупные обломки.

— Осторожно! — крикнул Малдер и бросился к Кассандре, но град острых осколков накрыл его спутницу. Один из них ударил ее по темени.

Издав короткий стон, она упала как подкошенная, и алая кровь мгновенно залила волосы цвета корицы.

Малдер наклонился к Кассандре, осторожно приподнимая ее голову. Остатки каменной шрапнели все еще разрезали воздух вокруг них. Однако он отделался только громадным синяком на лопатке и глубоким порезом на правой ноге.

Пирамида накренилась набок, и на площадь посыпались огромные блоки.

— Кассандра, — позвал Малдер, склонившись к ее лицу. — Кассандра, вы меня слышите?

Ее кожа приобрела землистый оттенок, на лбу выступил пот.

Тяжело вздохнув, молодая женщина села, оглушенная и потрясенная. Она помотала головой, вздрогнула, потом пощупала макушку и вскрикнула:

— Ой, прямо в яблочко!

Малдер осторожно осмотрел ее голову, стараясь определить серьезность ранения. Несмотря на обильное кровотечение, рана казалась поверхностной. Он опасался сотрясения мозга или трещины в черепных костях.

— Мы не можем оставаться здесь, Кассандра! — сказал он. — Надо срочно найти какое-то убежище, или через несколько минут нам придется совсем плохо.

Он оглядывался кругом, пытаясь рассмотреть

хоть что-нибудь в неверном свете пожара, разгоняющем обволакивающую темноту.

— Если мы найдем Скалли, она сможет оказать вам первую медицинскую помощь.

Он видел на площади стремительно передвигающиеся фигуры людей. Подобно смертельным светлякам, в ночи сверкали огни ружейных выстрелов. Впереди на площади возле палатки он заметил высокую плотную фигуру, а рядом маленькую, женскую — наверняка Скалли. Казалось, они ссорились, затем мужчина втолкнул женщину в палатку, опустил полог и остановился у входа.

Оберегал ее этот человек или она стала его пленницей? Малдер не мог издали определить, был ли это один из американских коммандос или борец за свободу из команды Карлоса Баррехо.

— Пойдем, Кассандра, — сказал Малдер, обхватив ее за талию и помогая подняться на ноги.

Она стонала, глаза ее блуждали, невероятно расширившиеся зрачки не давали взгляду сфокусироваться. Кровь все еще текла из раны, заливая лицо.

— Эй, я могу идти сама, — дрожащим голосом сказала она, словно ребенок, пытающийся поразить отца своей бравадой.

Малдер отнял руки, но Кассандра обмякла, как переваренная лапша, и стала медленно оседать на землю.

— Дайте-ка я лучше вам помогу, — сказал он, снова обхватывая ее за талию.

Они побрели через площадь. Малдер напряженно вглядывался в неясную фигуру около палатки.

Канонада продолжалась, не прерываясь ни на секунду. Коммандос снова рассыпались по площади, но человек у палатки никуда не спешил. Малдер видел, как автоматная очередь пунктирным огнем прорезала пространство как раз рядом с ним. Несколько пуль прошили тент, и Малдер молился, чтобы Скалли в палатке лежала на земле.

— Мы должны туда добраться, — с тревогой сказал он.

Кассандра спотыкалась, согнувшись, чтобы быть менее заметной. Малдер ожидал, что их могут подстрелить в любую секунду.

Они достигли двух поверженных обелисков на краю площади. Брезент, которым они со Скалли укрыли убитых археологов, в нескольких местах был пробит осколками. Слава Богу, Кассандра не знала, кто лежит под этим брезентом. Он помог ей устроиться за разбитым известняковым монолитом, выбрав его в качестве убежища.

Затем, к удивлению Малдера, грохот прекратился. Над полем битвы нависла гнетущая тишина.

Малдер настороженно огляделся. Тишина

становилась все оглушительнее. Должно быть, случилось что-то странное.

Он ощутил легкое покалывание кожи и почувствовал, как от статического электричества на затылке шевелятся волосы. Малдер опустился на колени и подполз к Кассандре. Что-то заставило его поднять глаза вверх.

Он увидел свет, льющийся на землю.

Сияние исходило от огромного корабля, висящего в ночном небе. Он видел его только одно мгновение, пока глаза не заболели от невыносимо яркого света, но воображение дорисовало детали.

Это была гигантская конструкция, поражающая невиданным сочетанием углов и плавных изгибов, создающих геометрическую форму, которую не мог бы вообразить ни один архитектор в мире.

Затмевая все остальные детали, вокруг корабля, подобно ореолу, полыхало пламя.

Корабль.

Он знал, что этот корабль должен появиться. Когда Кассандра Рубикон случайно попала в анимационную камеру, та начала издавать пульсирующий сигнал тревоги, который понесся через бесконечное пространство космоса... пока наконец не прибыл спасательный корабль.

Малдер вспомнил неясные изображения Кукулькана на стенах главной комнаты погребенного древнего планетолета: высокий пришелец с надеждой смотрит в небо. Но корабль прибыл спустя тысячу лет, слишком поздно для него.

— Кассандра, посмотрите туда! — сказал он, тряся ее за плечи. — Только посмотрите!

Она застонала и закрыла глаза рукой.

— Слишком ярко...

Малдер снова посмотрел наверх.

Как только корабль достиг полуразрушенной пирамиды, из его днища, словно копья, появились длинные лучи пламени.

Малдер задохнулся и заслонил рукой глаза от слепящего света.

Земля под ним задрожала и приподнялась, словно тонкая железная пластинка, притягиваемая мощным магнитом. Оставшиеся блоки верхнего храма слетели вниз. Во все стороны покатились гигантские обломки, более мелкие осколки врезались в землю, как метеориты.

Он попытался взглянуть еще раз на пришельцев, но свет был нестерпимо ярок, и ему пришлось снова закрыть глаза. Малдер слышал, как необычайный корабль продолжает свои раскопки, не обращая внимания на американских солдат, партизан, агентов ФБР. Разящий луч раскидывал широкое основание пирамиды с легкостью, с какой ребенок рушит домик из кубиков.

Теперь Малдер понял, что его предположения оправдывались. Кукулькан не мог быть спасен, потому что его спасательная камера оказалась повреждена, но случай с Кассандрой вызвал помощь из космоса.

И сейчас корабль пришел, чтобы отрыть из глубин пирамиды погребенного там древнего собрата, посылающего тревожные сигналы.

Земля вздрогнула и вздыбилась, когда сверкающие лучи разрушили основание пирамиды. Паника охватила повстанцев, скрывавшихся в джунглях, и оставшихся в живых солдат.

Кассандра снова застонала.

— Пожалуйста, не разрушайте ее, — невнятно произнесла она.

— Вряд ли я смогу это остановить, — пробормотал Малдер, сквозь щелочки между пальцами следивший за происходящим.

Извергающийся из корабля огонь становился все ярче и жарче.

Наконец показался внутренний храм, под которым покоился древний корабль. Внезапно тьма упала на землю, лишив Малдера возможности ориентироваться. Он подумал, что корабль зондирует глубину... и в этот момент сверкающие лучи снова устремились вниз, их титаническая сила расшвыривала пласты породы, чтобы добраться до останков корабля Кукулькана.

Земля треснула и закачалась, когда парящий корабль своими пронзающими лучами вырвал наконец на поверхность остов погибшего судна. Малдера швырнуло в сторону, и из руин того, что было пирамидой великого Кукулькана, появился искореженный корпус.

Рискуя ослепнуть, Малдер следил, как спасательный корабль извлек корабль Кукулькана из руин. Так когда-то жрецы вырезали сердца из тел своих жертв.

Каменные обломки и пыль непрерывным потоком низвергались на землю. Малдер припал к ней, испуганный грохочущими тенями, которые со свистом разрезали воздух.

Пренебрегая законом земного тяготения, искореженное судно поднялось в воздух. Сверкающий корабль-спасатель с невероятной быстротой набирал высоту, унося за собой реликвию. От сыпавшейся с нее каменной крошки и песка в воздухе словно поднялась снежная пурга.

Малдер смотрел в небо, наблюдая за тем, как его мечта представить древние и неопровержимые доказательства прихода инопланетян безвозвратно уносится ввысь.

Он силился и не мог представить, куда ушел корабль, кто эти потомки Кукулькана, которые будут оплакивать его мумифицированные останки.

Со слезами на глазах Малдер следил, как уменьшается яркое пятно и превращается в мигающую звездочку, оставляя ему лишь незабываемые воспоминания.

Вдруг он сообразил, что в спасательной камере остался шеф полиции Карлос Баррехо. Может быть, он выживет во время невообразимого путешествия. Или бедняга погиб, когда раскапывали древний корабль. Так или иначе,

межпланетный странник захватил с собой рево-
лю;ционного вожака.

Малдер знал, что этот случай похищения не
заставит его пуститься на отчаянные розыски.
Он посмотрел на зияющий дымящийся провал
на месте пирамиды и задумчиво произнес:

— Скатертью дорога!

35

*Руины Кситаклана.
Среда, 4.19*

Скалли распласталась на полу палатки, чувствуя себя беззащитной в этом жалком убежище и прислушиваясь к тому, что творилось снаружи, к звукам катастрофического разрушения. Ей казалось, что настал конец света или по меньшей мере нечто подобное гибели Помпеи.

Грохот взрывов и раскалывающихся каменных глыб по звуку отличался от разрывов и воя мин. Коммандос разбежались по укрытиям, и миномет замолчал. Несколько пуль продырявили полог палатки, не задев Скалли. Уже не было слышно ни майора Джейкса, ни его солдат.

Она раздумывала, когда же можно будет выбраться отсюда. Скалли раздражало, что ее держат здесь, как принцессу в дворцовой башне. Джейкс бросил ее в это душное укрытие только потому, что она женщина. Но она считала, что шансов уцелеть в палатке еще меньше, чем если выбраться отсюда и достичь укрытия в руинах или в джунглях, где к тому же можно отыскать Малдера.

— Хватит ждать, — сказала себе Скалли. — Пора вылезать отсюда.

Она выбралась из палатки и поползла прочь, ежеминутно ожидая, что кто-нибудь из солдат снова загонит ее обратно. А этот чертов майор, пожалуй, и ударит, лишь бы выполнить дополнительную задачу и «лично защитить ее»!

Но Скалли никого не заметила. Она отползала от палатки, готовая в любой момент спрятаться. Но ни одна пуля не ударила по плитам.

Она неуверенно поднялась на ноги, чтобы осмотреться в колеблющемся свете горящих джунглей. Казалось, Кситаклан поражен шоком.

Скалли обнаружила майора Джейкса на том месте, где он упал. Пуля крупного калибра разв_оротила ему грудь, и он лежал на плитах площади в огромной луже крови как еще одна жертва богам майя. Его лицо, даже мертвое, было бесстрастным, словно он по-прежнему выполнял свою миссию.

Перепрыгивая через груды камней и поваленные деревья, к ней бежал обезумевший от ужаса солдат в изорванной форме с автоматом на плече. На поясе болтались пустые крючки, видно, он израсходовал все свои гранаты и метательные ножи.

— Нас атаковали с неба! — орал он всполошенным голосом. — Я не видел ничего подобного, и мы не можем устоять! Они уже уничтожили пирамиду.

Широко открытые глаза солдата побелели от ужаса, на лице выступил пот.

В этот момент его взгляд упал на залитое кровью тело майора Джейкса.

— О, дьявол! — воскликнул он и смущенно посмотрел на Скалли: — Извините за грубость, мэм.

— Не называйте меня так, — пробормотала она, вспомнив, что то же самое говорила майору.

— Эй, пора отступать! — крикнул солдат своим невидимым товарищам. Он взглянул на нее, будто что-то сообразив. — Мэм, вам лучше убраться из джунглей, пока не вернулся корабль. Вы можете просить помощи у любого представителя власти. А у нашей команды такой возможности нет. Если мы попадемся, то погибнем. Нас осталось только трое.

Не тратя больше слов, солдат побежал назад через площадь, стараясь держаться под деревьями. Скалли обернулась к тому месту, где стояла пирамида Кукулькана, но увидела только зияющий провал.

— Господи! — в ужасе воскликнула она.

На площади громоздились вывернутые и расколотые блоки, словно их разбросала неведомая титаническая сила.

Она взглянула на неподвижное тело Джейкса:

— Похоже, вы выполнили свою миссию, майор Джейкс.

Однако она понимала, что даже все мины, выпущенные из миномета одновременно, не смогли бы сровнять с землей выстоявшую столько веков каменную громаду пирамиды. Она подумала о словах солдата — атака с неба. Что это было? Военно-воздушные силы? Бомбовая атака? Или тактическое ядерное оружие, атомная боеголовка?

— Скалли! — музыкой прозвучал знакомый голос, и она обернулась на зов. — Скалли, сюда!

Она увидела своего партнера, уставшего и перепачканного. Он поддерживал незнакомую женщину, и они вместе пробирались через площадь.

— Малдер, ты спасся!

Скалли побежала к нему.

— Давай воздержимся от поспешных заключений, — сказал он. Его лицо разрумянилось, глаза возбужденно сверкали. — Скалли, ты видела это? Ты это видела? — Он указал на провал на месте пирамиды.

Скалли покачала головой:

— Меня держали в палатке, поэтому я почти ничего не видела. Майор Джейкс убит и большинство его людей тоже. Нам посоветовали уходить отсюда как можно скорее, мы предоставлены самим себе, Малдер.

Тут джунгли будто очнулись, из-за деревьев

раздалось несколько одиночных выстрелов. Скалли поняла, что опасность еще не миновала.

Уцелевшие коммандос майора Джейкса уже забрались в один из вездеходов и двинулись в джунгли, не дожидаясь остальных.

— Она ранена, Скалли, — сказал Малдер. — Ее ранило в голову осколком шрапнели или камня, но, главное, она жива.

Скалли осмотрела женщину и установила, что кровь уже начала свертываться, склеивая волосы вокруг раны.

— Малдер, это Кассандра? Где ты нашел ее?

— Это долгая история, Скалли, и, когда я все расскажу, ты не поверишь. Но она здесь, живое доказательство.

Прежде чем Малдер успел начать свой рассказ, земля снова стала вздрагивать. Плиты на площади ходили ходуном, качаясь из стороны в сторону, будто погребенный в глубинах земли титан прокладывал дорогу наверх.

— Надеюсь, извержения и на этот раз не произойдет, — закричала Скалли.

Обломки нескольких плит внезапно взлетели в небо, будто поднятые гейзером. Вся площадь сдвинулась в сторону вместе с пришедшим в движение пластом земли. Сотрясение было настолько мощным, что в центре площади образовался разлом, в который обрушилась стена, окружавшая поле для игры в мяч.

— Здесь очень опасный участок. — Потрясенный Малдер глядел в сторону разлома. —

После всех этих взрывов, мне кажется, Кситаклана вскоре не станет.

Из кратера на месте пирамиды вырвались
потоки пепла с сернистым запахом, за ними —
фонтаны лавы и дыма. Известняковые глыбы
вспыхнули, как восковые свечи. Земля треснула,
разрушив стены колодца.

— Помнишь тот новый вулкан Парикутин,
который проснулся в тысяча девятьсот сорок
третьем году? — спросил Малдер. — Мне кажется, извержение будет продолжаться, пока полностью не преобразит это место и на месте
древних руин не появятся новые ориентиры.

Он помог слабой Кассандре встать на ноги.

— Возможно, тебе это безразлично, Скалли,
но лично мне не очень нужна мемориальная
доска с моим именем у памятника в честь посе-
щения земли инопланетянами. Давайте уйдем
отсюда.

Огонь снайперов стих, партизаны скрылись в
джунглях, удовлетворенные полной победой,
ибо все, что находилось в Кситаклане, было
уничтожено.

Скалли обратила внимание на оставшийся
вездеход:

— На этой машине мы быстрее пробрались
бы через джунгли, хотя я не представляю себе,
куда идти.

— Как насчет того, чтобы просто убраться
отсюда подальше? — спросил Малдер. — Ты
знаешь, как с ней управляться?

Скалли посмотрела на него:

— Слава Богу, мы с тобой образованные люди и должны в этом разобраться. — Но несмотря на уверенный тон, ее все же терзали сомнения.

— На твоем месте я бы не был так уверен. Это же военная техника.

Они подхватили Кассандру с двух сторон и стали пробираться к вездеходу под огнем лавы и подступающего лесного пожара.

36

*Джунгли Юкатана.
Среда, 5.01*

Огромный оранжевый язык лавы позади них рванулся к небу именно в тот момент, когда Малдер забрался в вездеход, чтобы ознакомиться с его управлением.

— Скорее, Малдер, — тревожно произнесла Скалли.

Она усадила Кассандру на заднее сиденье и стала осматривать ее рану, оглядываясь через плечо на пламя и пар, со страшной силой вырывавшиеся из трещин в земле.

— Мне приходилось брать напрокат «форд», — сказал Малдер. — Здесь кое-что устроено иначе, но все-таки я попробую.

Мотор вездехода заработал с рычанием и кашлем. Малдер нажал на педаль газа, и машина рванулась вперед. Они болтались внутри, подскакивая и ударяясь о стенки и потолок кабины,

12*

испытывая такие же легкость и комфорт, как при авиакатастрофе.

Их путь проходил по той самой тропе, которая была проложена людьми Джейкса. Толстые колеса вездехода переваливали через поваленные деревья и перемалывали густые заросли кустарника и плотного папоротника.

Скалли изо всех сил старалась защитить от сотрясений безжизненное тело Кассандры. Она разорвала одежду и кое-как перевязала рану.

— А что это за гадость на ней насохла? — спросила она.

Молодая женщина очнулась и попыталась уклониться от забот Скалли.

— Со мной все в порядке, — сказала она и с легким стоном снова потеряла сознание.

Малдер держал направление в глубь джунглей на раздражающе малой скорости, так как приходилось поминутно объезжать громадные поваленные деревья, валуны и трещины.

Пламя, вырывающееся из свежих трещин в земле, освещало джунгли. Из кратера на месте древнего освобожденного корабля Кукулькана извергались потоки кипящей магмы. Подожженный гранатами лес заволокло сероватыми клубами дыма.

Сквозь невероятный грохот и гул вулканических извержений Малдер уловил еле различимый шум, доносящийся словно из-под земли, и ему показалось, что в чаще джунглей он заметил бегущих людей. Очевидно, это были партизаны или же уцелевшие коммандос майора Джейкса, пытавшиеся выбраться в безопасное место и отыскать обратную дорогу.

— Этой женщине необходима медицинская помощь, но со временем она поправится, — сказала Скалли. — Ничего серьезного, только поверхностная рана... но это свежая травма, полученная не недели назад. — Она с любопытством посмотрела на Малдера, широко открыв голубые глаза и подняв брови: — Тогда где находилась Кассандра все это время?

— Она оказалась в ловушке под землей, в недрах пирамиды, Скалли.

Скалли скептически нахмурилась:

— Но по ее виду не скажешь, что ей пришлось голодать или переносить физические мучения. Она не похожа на человека, который прятался в течение многих дней.

Малдер напряженно взглянул на нее, чувствуя такое волнение и такую убежденность, что даже краска прилила к щекам.

— Я расскажу тебе все, как только мы выберемся отсюда.

Скалли поддерживала голову Кассандры, стараясь, чтобы она не касалась дверцы. Позади раздался новый взрыв, метнувший в воздух лаву и пепел. Малдер вздрогнул и постарался выжать из ворчащей машины бóльшую скорость.

Вездеход левым крылом наткнулся на толстое дерево, и Малдер резко вывернул руль вправо, чтобы выровнять его, затем вновь взял прежнее направление. В темноте и хаосе он уже потерял проложенную солдатами дорогу. Может быть, подумал он, удастся узнать дорогу на заправочной станции.

Он рванул вперед и снова свернул, пытаясь определить направление в обступивших их джунглях.

— Надеюсь, мы не застрянем в этой чащобе до конца наших дней. Я ведь купил сезонный билет на футбольные матчи. — Он посмотрел вниз на приборную доску и аппаратуру. — Посмотри в «бардачке», Скалли, может, найдешь карту.

Скалли предпочла воспользоваться компьютером и, включив его, стала искать подходящий файл, одновременно рассказывая Малдеру о своем разговоре с майором.

— Майор Джейкс показывал мне досье — файл со снимками, сделанными со спутника. На них был огромный кратер, образовавшийся после того, как по замку одного местного наркобарона выстрелили, как они предполагают, ядерным зарядом. Ты бы, конечно, решил, что это неправильно сработали какие-нибудь инопланетные технологии, но мы не будем в это вдаваться. Я только хочу сказать, что у них была очень подробная карта местности.

Она поискала еще немного и разочарованно вздохнула:

— Наверное, все это в другой машине.

Но тут появился файл «Ориентировка», и

вслед за тем на экране высветилась карта Юкатана с маленьким компасом сбоку.

— Ура, нашла! — воскликнула она. — Вот, мы находимся здесь. Я могу не найти приемник или зажигалку, но это именно то, что нам нужно.

Малдер облегченно вздохнул.

Неожиданно, преградив им дорогу, из-за кустов появилась гибкая жилистая фигура. Человек был потный и усталый, его костюм превратился в лохмотья, шляпа из шкуры оцелота потерялась где-то в джунглях. Но темные прищуренные глаза горели фанатичным огнем. Он угрожающе поднял дуло автомата, раньше, несомненно, принадлежавшего одному из солдат Джейкса.

— Я убью вас сейчас или чуть позже, — сказал Фернандо Викторио Агилар, беря их на прицел, — но остановлю так или иначе.

37

*Джунгли Юкатана
в районе Кситаклана.
Среда, 5.26*

Малдер повернул рычаг и остановил вездеход. Автомат Агилара выглядел убедительно. Посреди тесно обступившей их растительности, не имея опыта вождения армейского вездехода, он не был уверен, что сумеет послать машину вперед и сбить гида. Если это не удастся ему с первой попытки, Агилар спрячется в кустарнике и без колебаний расстреляет их. Малдер не решился рисковать жизнями Скалли и Кассандры.

Кассандра застонала и очнулась настолько, чтобы узнать Агилара.

— Он, — сказала она. — Ублюдок! Бросил нас...

Затем откинулась назад и снова потеряла сознание, словно эти слова отняли у нее весь запас сил.

Агилар, пораженный, посмотрел на нее и затем ткнул их автоматом:

— Где вы нашли дочь археолога? Люди Баррехо искали ее несколько дней, но так и заблудились в пирамиде.

— Она обнаружила очень хорошее убежище, — сказал Малдер. — Фактически сеньор Баррехо нашел то же самое местечко, но я не думаю, что мы снова с ним увидимся.

— Очень жаль. Но так или иначе, он был просто идиотом-политиком.

Агилар поднял автомат, приставив дуло ко лбу Малдера. Агент чувствовал, как полый ствол буквально буравит лоб, словно длинноволосый гид собирался приступить к трепанации его черепа.

— Что вам нужно, Агилар? — спросила Скалли.

Тот перевел оружие на нее. Малдер увидел его длинные волосы, грязными прядями болтающиеся по спине. Агилар улыбнулся Скалли:

— В данный момент мне нужны заложники и этот вездеход, сеньорита.

Он свободной рукой потер щеку, словно его беспокоила отросшая щетина. Все его планы рухнули, но, в общем, Агилар, казалось, был доволен ситуацией.

— Если вы будете исполнять все, что я скажу, никто не окажется ранен. Но поверьте мне, «Либерасьон Кинтана-Роо» расправилась бы с вами более жестоким образом. Все, что хотел я, это древние реликвии, а они хотели иметь политических заложников. Мы могли бы уйти отсюда без потерь, но, увы, обстоятельства этого не позволили. Благодаря вашим американским солдатам и вашему собственному упрямству, а?

Малдер услышал впереди в вершинах деревьев хруст ветки и бросил взгляд на кроны. Агилар заметил неожиданное движение и снова направил автомат на Малдера.

— Не двигаться, — приказал он.

Малдер замер, продолжая прислушиваться к потрескиванию веток вверху. Через секунду за спиной у Агилара с шумом зашевелился папоротник, но гид ничего не замечал, полностью поглощенный беседой с людьми, сидящими в вездеходе.

— Мы добывали реликвии в этих покинутых городах, — говорил он. — Это *наша* земля, земля майя. Это было вроде кражи, но никто не страдал, никто ничего не терял. Bueno!* Джунгли веками хранили эти сокровища, а теперь мы с их помощью делали деньги, а?

Баррехо тратил все, что получал, на свои политические фантазии о независимости, но я предпочитал на них наконец-то пожить как следует. Я вырос на улицах Мериды, сеньор Малдер, — произнес Агилар со злобной ухмылкой. — Моя мать была проституткой. С восьми лет я жил один, торгуя всяким хламом, обкрадывая туристов, прячась от дождя в коробках.

---

* Хорошо!(*исп.*)

Но благодаря Кситаклану я стал вполне преуспевающим человеком и не делал никому ничего дурного, пока чужие люди не стали протягивать свои длинные руки к тому, что им не принадлежало.

Он потер голову.

— Местные знают здесь все дороги. Американским археологам стоило бы узнать столько же... и вам тоже.

— Вы же собирались нас убить, — сказала Скалли. — А теперь пытаетесь завоевать наши симпатии?

Агилар пожал плечами, дуло автомата дрогнуло.

— Мы все хотим быть понятыми, — произнес он с улыбкой. — Такова человеческая натура, а?

Вдруг наверху треснула сломанная ветка. К крайнему изумлению Малдера, оттуда свесилось извивающееся тело гигантской змеи с перекатывающимися под кожей мускулами.

Агилар вскинул голову и, издав жуткий вопль, передернул затвор автомата, но было уже поздно.

Сверкнули острые и длинные изогнутые клыки, полыхнула огромная жадная пасть. Вокруг плоской головы развернулась корона оперенной чешуи, похожей на выкованные из драгоценного металла фестоны. Чудовище промелькнуло в воздухе, как молния.

Агилар, придавленный его тяжестью, упал на

землю. Злобная рептилия обвилась вокруг него, сжимая своими стальными витками.

— Боже мой! — прошептала Скалли.

Агилар испускал отчаянные вопли боли и ужаса, автомат отлетел в кусты. Гид колотил руками по покрытому чешуей телу пернатого змея. Тот еще раз стиснул жертву, и изо рта Агилара брызнул фонтан крови.

Кости его хрустнули, как сухое дерево, и Агилар пронзительно завизжал. Огромная змея скользнула в кусты, утаскивая за собой исковерканную жертву, и скрылась за густым пологом растительности.

Агилар вскрикнул еще пару раз, и крики оборвались громким булькающим звуком. Теперь они слышали только звуки разламываемых костей и рвущегося мяса.

Скалли сидела, скованная ужасом.

— Малдер... я... — Она не могла справиться с прыгающими губами.

Кассандра закашлялась и выкрикнула:

— Кукулькан!

Что-то быстрое и гибкое метнулось сквозь кусты с другой стороны вездехода и устремилось к Малдеру. Оно проскользнуло сквозь листву и папоротник и вдруг возникло из покрова листвы, глядя на них.

Второй, еще более крупный пернатый змей раскачивался всего в футе перед ними, как кобра перед броском, со свистом обнажая страшные зубы.

— Малдер, что это? — дрожащим голосом спросила Скалли.

— Замри и не двигайся, — процедил он сквозь стиснутые зубы.

Чудовище, превосходившее размерами самого крупного крокодила, раскачивалось перед ними взад и вперед. Из пасти вырвался отвратительный шипящий свист. Длинная сверкающая чешуя с перьями топорщилась вокруг змеиной головы.

— Чего он хочет? — прошептала Скалли.

Переливчатое, глянцевитое тело змеи метнулось, сверкнув, словно оптический обман, как будто оно было из ртути и подчинялось другим законам гравитации.

Малдер не мог пошевелиться. Он, не отрываясь, смотрел на животное, надеясь, что не вызовет его нападения.

Ужасное создание с глухим ворчанием уставилось на Малдера гипнотическим взглядом горящих круглых глаз, который показался ему удивительно осмысленным. В мозгу Малдера молнией пронеслись изображения Кукулькана и змея на погребенном корабле и в верхнем храме. Эти гигантские рептилии каким-то образом связаны с пришельцами из космоса. Мысли теснились одна за другой.

Сам Кукулькан умер много веков назад, потомки же прибывших с ним пернатых змеев остались на земле в непривычных для них условиях. Спустя столетия они освоились в джунглях

Центральной Америки и остались жить благодаря крайней недоступности этих мест.

Змей гипнотизировал его взглядом, подползая ближе. Время остановилось.

— Малдер, что нам делать? — спросила Скалли.

Малдер встретил опаляющий взгляд чудовища. Они с минуту смотрели друг на друга, и через разделяющую их бездну перекинулся мостик понимания.

Малдер затаил дыхание. Скалли стиснула руки с такой силой, что костяшки пальцев побелели.

Кассандра Рубикон застонала и затуманенным взором уставилась на змея.

Наконец напряжение необъяснимым образом исчезло, и пернатый змей уполз прочь, скользя в кустарнике. Он пропал так же быстро, как и появился, оставив только сломанные ветки.

В лесу снова воцарилась тишина.

— Мне кажется, больше они нас не потревожат, — прошептал Малдер.

— Надеюсь, ты прав, — прерывисто вздохнув, сказала Скалли. — Но давай поскорее уедем отсюда, пока кто-нибудь из них не передумал.

38

Госпиталь памяти Джексона.
Майами.
Суббота, 11.17

Освеженный глубоким, спокойным сном в уютном отеле, чисто выбритый, Малдер вошел в Госпиталь памяти Джексона, где находилась на излечении Кассандра Рубикон.

Непроходимые джунгли, кишащие змеями и скорпионами, днем и ночью звенящие от писка назойливых насекомых, изматывающие своей влажной духотой, сейчас, когда они вернулись в современный город, казались ему другим, далеким миром. Даже не верилось, что это было всего два дня назад. Но воспоминания о тяжелых испытаниях не оставляли его.

С помощью компьютерной карты вездехода им удалось обнаружить шоссе на востоке штата Кинтана-Роо. Малдер развил большую скорость, распугивая пастухов в красочных индейских одеждах.

Скалли обнаружила в машине санитарную сумку и дала Кассандре обезболивающие и противовоспалительные таблетки. К сожалению, больше она ничем не могла ей помочь.

В конце концов их остановил дорожный полицейский патруль и потребовал объяснить, как они оказались здесь на американском армейском вездеходе. Скалли вежливо попросила сопроводить их в ближайшее американское консульство.

Еще в лесу они нашли в машине неприкосновенный запас продовольствия и несколько бутылок воды. Кассандра не могла говорить и есть и казалась такой слабой после перенесенных потрясений, что Малдер начал сомневаться, сможет ли она быть свидетелем появления космического корабля и акции коммандос. Вся пища досталась Скалли и Малдеру, и к моменту их задержания они чувствовали себя относительно неплохо.

Кассандру направили в Мексиканский медицинский центр, пока Малдер делал соответствующие телефонные звонки, а Скалли писала подробный отчет о поездке. После прибытия в Майами Кассандру поместили в этот госпиталь для обследования и лечения. Она восприняла это как отдых после всего, что ей пришлось перенести.

Пересекая выстланный линолеумом вестибюль госпиталя, Малдер думал о том, узнает ли его Кассандра, ведь она никогда не видела его в форме ФБР, в костюме с галстуком.

Он вошел в лифт и нажал кнопку нужного этажа. Тяжелые двери узкого лифта соединились за ним, и он вдруг вспомнил Карлоса Баррехо в его камере, которая была с треском вырвана из руин, поднята в воздух и вознеслась к звездам... тут двери лифта раздвинулись, и он вышел на лестничную площадку.

Дверь в палату Кассандры была открыта. Кассандра с забинтованной головой лежала под белой простыней. Равнодушным взглядом она следила за дневной передачей женского ток-шоу по телевизору, укрепленному высоко на стене. Темой разговора были женщины, которые добивались права выходить замуж за пришельцев из космоса.

— Где они только находят этих пришельцев? — заметил Малдер, остановившись в дверях.

Кассандра увидела его, и ее лицо просветлело.

— Я что-то пропустила из тех событий в джунглях, — сказала она, выключая телевизор.

— Ну как, уже лучше? — поинтересовался Малдер, подходя к кровати.

— Намного, — ответила она. — Да и ваш внешний вид изменился в лучшую сторону.

Он посмотрел на тарелку с малоаппетитной едой на столике у кровати:

— Вам необходимо хорошо питаться, вы же

так много перенесли в джунглях, теперь должны набираться сил.

Она улыбнулась ему. Тугая повязка почти полностью скрывала густые волосы цвета корицы.

— Ну, археология не для слабаков, мистер Малдер.

— Пожалуйста, зовите меня просто Малдер. Я привык к тому, что мистером Малдером называют моего отца.

При упоминании об отце лицо Кассандры снова напряглось.

— Я бы хотел спросить вас, Кассандра, — Малдер стал серьезным, — потому что все, что мы видели, уничтожено без следа. Удалось ли вам сохранить какие-то записи, фотографии или еще что-нибудь из Кситаклана?

Она покачала головой, и лицо ее исказилось от боли:

— Нет, ничего. Вся группа погибла там: Джон и Кейт, Кристофер и Келли, все в начале своей карьеры. Мой отец погиб из-за меня, из-за Кситаклана. — Она вздохнула и снова посмотрела на телеэкран, словно желая отвлечься от разговора с Малдером. — Нет, Малдер. Пропало все, включая наши отчеты. Единственное, что я сохранила, это мои воспоминания, но и они не очень отчетливы.

Малдер стоял молча, подыскивая слова, чтобы успокоить ее.

Наконец Кассандре удалось справиться с

волнением, и, когда она заговорила, он был поражен тем, что услышал от этой измученной и ослабевшей молодой женщины:

— На Юкатане существует еще тысяча мест, где не проводились раскопки, Малдер. Может, когда я выздоровлю, то соберу новую экспедицию. Кто знает, что еще мы сможем найти?

Малдер усмехнулся про себя, а вслух сказал:

— Действительно, кто знает?

39

Дом Скалли.
Аннаполис.
Воскресенье, 13.07

Скалли включила компьютер и, уныло вздохнув, уселась за стол. Рядом на диване, свернувшись клубком, спал щенок.

Какая поразительная разница между затерянностью во влажных, гудящих от насекомых джунглях Центральной Америки и уютом родного дома, думала она.

Сейчас, когда она вернулась домой, ей необходимо сосредоточиться и подготовить официальный отчет о поездке в Кситаклан, связывая оборванные нити событий. Их ожидали новые задания и исследования, другие «Икс-Файлз». Она должна как можно скорее покончить с отработанным делом.

За несколько часов покоя и одиночества в своей квартире она сумела завершить отчет о пестрой череде событий, захвативших их в Мексике.

Скалли закинула ногу на ногу и положила на колени записную книжку, чтобы сделать краткий обзор основных событий и впечатлений, прежде чем ввести данные в компьютер.

Специальное задание — найти пропавшую археологическую партию — ими выполнено. Ей было приятно, хотя бы технически, поставить на этом пункте отметку «закрыто». Помощник директора Скиннер будет доволен.

Она перечислила имена четырех погибших членов экспедиции, добавив рассказ о том, как они с Малдером обнаружили трупы в сеноте, как извлекали их оттуда. Описала очевидную причину смерти: убийство ружейными выстрелами и затопление тел. Сделала вывод: Кейт Баррон, Кристофер Порт, Келли Роуэн и Джон Форбин были убиты членами повстанческой организации «Либерасьон Кинтана-Роо».

Скалли не знала, что писать о Кассандре Рубикон, которая была найдена живой и невредимой. Женщина не могла вразумительно объяснить свое исчезновение и то, где провела две недели. Бродила ли она по джунглям, или пряталась в руинах Кситаклана в то время, как ее товарищи погибли. Скалли не могла включить в отчет и рассказ Малдера о погребенном космическом корабле с его анимационными камерами.

В качестве дополнения она описала, как в результате землетрясения в Кситаклане и провала секретной военной американской операции мексиканское правительство наконец собралось с силами и разгромило партизанское движение. Солдаты конфисковали незаконно хранившееся оружие и арестовали оставшихся в живых революционеров, которых нашли в лесных деревнях.

Движение «Либерасьон Кинтана-Роо» было уничтожено. Его номинальный лидер, ренегат, шеф полиции Карлос Баррехо остался на свободе. У Малдера имелось свое объяснение тому, что с ним произошло. Несмотря на уговоры партнера, он не согласился с теми версиями необъяснимых явлений, которые Скалли сочла возможным включить в свой отчет. Они так и не пришли к общему решению этого вопроса.

Что касается тактического ядерного оружия, которым предположительно была уничтожена крепость Ксавье Салида, то розыск не обнаружил на черном рынке никаких признаков этого вида вооружения, которое могло бы попасть в руки центральноамериканских криминальных групп. Дальнейшие розыски предлагалось перепоручить другим федеральным агентствам, например, государственному департаменту.

Под заголовком «Владимир Рубикон» Скалли суммировала все факты, относящиеся к его гибели: удар по голове, нанесенный Фернандо Викторио Агиларом, который хотел помешать старому археологу вызвать на помощь мексиканские государственные службы, поскольку боялся разоблачения в связи с кражами древних реликвий.

Поколебавшись, Скалли сделала приписку о том, что их гид Агилар, убийца Рубикона, был растерзан в джунглях «диким хищником».

Вздохнув, она отложила карандаш и встала, чтобы приготовить себе чашку кофе.

Грозные пернатые змеи были самым трудным пунктом. Их фантастические образы не вписывались в прозаическую стилистику ее отчета.

Она не представляла себе, как охарактеризовать эти создания. С другой стороны, она видела чудовищ собственными глазами и не могла игнорировать их существование.

Незадолго до описываемых ею событий Малдер поведал ей о своем видении неземного змееподобного существа, промелькнувшего в лунном свете. Тогда Скалли решила, что это было всего лишь игрой его воображения. Но она сама видела громадного изгибающегося змея с длинными, отливающими перламутром чешуйками и изогнутыми зубами.

В конце концов Скалли взяла себя в руки и снова села за стол.

Не раздумывая дольше, она изложила свое объяснение, самое лучшее, какое только смогла сочинить.

Пернатые змеи должны относиться к большой, ранее не описанной группе рептилий, вероятно, почти вымершей, но с достаточным количеством представителей, которым удалось выжить с очень древних времен, судя по их многочисленным изображениям на художественных изделиях и в скульптурах майя. Вспоминая теперь, она пришла к выводу, что Малдер был прав — изображения Пернатого Змея встречаются на очень многих стелах и в иероглифах. А это скорее всего означает, что древние майя видели эти существа живыми.

Малдер даже предположил, что плотоядные пернатые змеи и были виновниками того, что в окрестностях Кситаклана так часто пропадали люди.

Она написала, что благодаря необычайно богатой и разнообразной природе тропических лесов Центральной Америки в этом регионе каждый год ученые открывают множество новых разновидностей биологической жизни. Поэтому, по ее мнению, не так уж невероятно, что большая плотоядная рептилия, наделенная необычной для животного сообразительностью, могла до сих пор остаться вне поля зрения научных экспедиций и зоологических партий.

Агент Малдер напомнил ей, как много чудовищ, подобных Пернатому Змею, существует в мифологиях различных народов: драконы, василиски, змеи-горынычи, китайские водяные драконы, — и чем больше она думала об этом, тем больше убеждалась, что эти редкие животные не плод досужей фантазии.

Из-за вулканической активности в Кситаклане и последующего разрушения древнего города Малдер не смог представить убедительных доказательств. Факты о якобы виденных им творениях иноземной цивилизации остались неподтвержденными; покинутый инопланетянами корабль был уничтожен. Она понимала, что, включив в отчет устные показания партнера, даст ему возможность настаивать на своей оценке событий.

Она пригубила горьковатый кофе и еще раз просмотрела записи, вычеркнула несколько строчек, стараясь четко выразить мысли на бумаге, и... ей пришлось удалить весь финал отчета.

Скалли повернулась к компьютеру и положила пальцы на клавиатуру. Она могла сказать только то, что в Кситаклане много необычайных явлений, которые остались необъясненными.

40

Штаб-квартира ФБР.
Вашингтон, округ Колумбия.
Воскресенье, 14.12

Хотя штаб-квартира ФБР никогда не пустовала, но воскресным днем Малдера в отличие от обычной суматохи будних дней встретила обстановка, полная тишины и спокойствия.

Он шел слабо освещенными коридорами, которые в другие дни наполняли шум шагов, нестройный хор голосов сотрудников и посетителей, беспрестанные трели телефонных звонков. Сейчас все кабинеты были погружены в сонную тишину.

Он не так уж редко заходил в офис в выходные. Скалли всегда, подшучивая, говорила, что ее партнер не приспособлен к личной жизни.

Малдер сел и включил настольную лампу. Задумчиво потирая переносицу, сдвинул в сторону стопку книг по археологии и о мифах майя.

Он рассматривал сделанные со спутника фотографии, которые получил в обмен на два билета на футбольные матчи. Он купил абонемент на весь сезон, хотя постоянная занятость редко позволяла ему посещать игры. Однако билеты часто оказывались своеобразным и очень действенным средством для получения в Бюро неофициальных услуг.

Он вглядывался в свежие снимки. На некоторых из них был виден кратер, оставшийся на месте бывшего поместья мексиканского наркобарона. Удивленный, Малдер вернулся к другой фотографии, изучая увеличенное изображение адского ландшафта вокруг руин Кситаклана. Очаг вулканической деятельности уже вызвал необычайное возбуждение геологов. Эта часть Юкатана считалась геологически стабильной и никак не должна была стать местом рождения действующего вулкана, очень похожим на таинственное появление Парикутина в 1943 году. Новый вулкан уже начал образовывать конус, и недавние отчеты геологов предполагали, что извержение может длиться годами.

Малдер попытался найти связь между Парикутином и Кситакланом, но отбросил эту мысль.

Вряд ли ему удастся еще раз побывать на Юкатане. Причин для возвращения нет, потому что извергающаяся лава и вулканические сотрясения уничтожат все свидетельства, даже всемирно известные теперь руины. Не останется и следа от древней славы Кситаклана.

Малдер достал драгоценное древнее изделие, гладкий блестящий бледно-зеленый нефрит, вырезанный в форме Пернатого Змея.

На этот раз он почувствовал сверхъестественный холод, потому что собственными глазами видел реальное существо, ставшее прообразом скульптурки. Он погладил пальцами ложбинки вдоль каменных перьев, зубы в открытой пасти. Сколько таинственных легенд скрыто в Кситаклане и в этом древнем чуде.

Однако поскольку Кситаклан разрушен, никто не поверит его объяснениям. Как обычно.

Малдер поставил нефритовую фигурку на стол и вздохнул. По крайней мере она может служить прекрасным пресс-папье.